Cachés

Titre original : *Annexed*
Édition originale publiée par Andersen Press Ltd., Londres, 2010
© Sharon Dogar, 2010, pour le texte
© George Fiddes, 2010, pour les illustrations
© Éditions Gallimard Jeunesse, 2011, pour la traduction

SHARON DOGAR

Cachés

Traduit de l'anglais
par Cécile Dutheil de la Rochère

GALLIMARD JEUNESSE

Pour Jem, Xa et Ella
Nos enfants.
Ce livre est pour vous.
Merci.

Puisses-tu ne jamais poser ta tête
sans qu'une main la retienne...

Préface

Mai 1945. La Seconde Guerre mondiale approche de la fin.
Peter van Pels[1] est prisonnier dans le camp de concentration
de Mauthausen. D'après ce que nous savons, il aurait été
admis à l'infirmerie du camp le 11 avril. Autrement dit, il y
serait depuis plus de trois semaines, ce qui est soit inexact, soit
extraordinaire. Comment, après avoir supporté l'occupation
des Pays-Bas par les nazis, la déportation à Auschwitz et la
traversée de la Pologne et de l'Autriche à pied jusqu'à
Mauthausen[2], avant d'entamer trois mois de « travail », espérer
survivre plus de quelques jours dans une telle infirmerie – qui
n'était qu'un lieu de passage pour une population à l'agonie ?
Les malades n'étaient pas soignés et étaient à peine nourris, en
tout cas pas à ce stade-là de la guerre. Cependant, les histoires
de survie de la Shoah les plus inouïes nous sont parvenues,
alors qui sait si celle-ci n'est pas vraie ? Qui sait si, pendant
qu'il était allongé dans l'infirmerie, Peter n'a pas commencé à
voyager à travers sa courte vie grâce à sa mémoire ?

---

1. Connu sous le nom de Peter van Daan dans le *Journal* d'Anne Frank.
2. Un des camps les plus durs.

À l'époque, il a dix-huit ans. Il vient de passer deux ans dans l'Annexe, cette cachette du cœur d'Amsterdam immortalisée par le *Journal* d'Anne Frank. Comment Peter a-t-il vécu ces deux années ?

Dans le récit que vous avez entre les mains, écrit à partir de faits historiques, j'ai essayé d'imaginer la vie quotidienne avec Anne Frank. D'imaginer ce que cela pouvait signifier d'être aimé par elle, puis d'en être séparé si violemment, alors que les Pays-Bas étaient sur le point d'être libérés.

Si l'histoire d'Anne Frank et des siens, enfermés dans l'Annexe, est si bouleversante, c'est aussi parce qu'ils ont failli survivre et être témoins de la fin de la guerre. Tous ont été emportés par le dernier convoi qui quitta la Hollande pour Auschwitz. Un seul survécut aux camps, Otto Frank, le père chéri d'Anne.

À l'heure où moi-même j'écris, Anne Frank (si elle avait vécu) aurait un peu plus de quatre-vingts ans. Elle continuerait peut-être à raconter des histoires et à nous rappeler ce que signifie rester vivant pour témoigner de la beauté du monde alors qu'autour de vous tout respire la mort, la haine et la destruction.

En dépit de son intelligence et de sa vivacité, Anne n'a jamais vécu en imaginant qu'un jour elle deviendrait une icône. C'était une jeune fille farouche et passionnée, brillante, méprisante et, parfois, difficile à vivre. Otto Frank a avoué un jour en public qu'il ne « connaissait » pas la Anne Frank dont nous avons l'impression d'être proche grâce à son *Journal*, et il en tirait une conclusion très simple : « Nous, parents, ne connaissons pas nos enfants. » Tout récit « imaginaire » racontant la vie dans l'Annexe se doit de garder en tête cette remarque. La Anne que nous découvrons à travers son *Journal* n'est pas forcément celle avec qui les personnes réfugiées dans l'Annexe avaient le sentiment de vivre.

Dès lors, qu'en est-il de Peter ? Le Peter dont parle Anne Frank a-t-il une quelconque ressemblance avec l'image qu'il a de lui-même ? Quel effet cela fait-il de se retrouver dans le journal d'un autre (surtout d'un journal aussi connu), épinglé pour l'éternité par ce regard ? Et si Peter était complètement différent ? Et si – ce qu'Anne laisse plusieurs fois entendre – il n'avait rien à voir avec ce qu'elle croyait ?

La façon dont nous percevons et les gens et l'histoire peut changer avec le temps. Le *Journal* d'Anne est au cœur de notre récit car il raconte en détail la vie quotidienne de personnes cachées sous l'occupation nazie lors du « nettoyage[1] » de la Hollande. Autant les écrivains ne sont pas censés jouer avec les faits qui constituent l'histoire de la Shoah, autant ils sont en droit de réimaginer l'histoire des relations entre les personnes réfugiées dans l'Annexe, et leurs sentiments les uns vis-à-vis des autres. Comment savoir ce qu'Anne en dirait aujourd'hui, si elle le pouvait ? Il y a fort à parier qu'elle serait plus indulgente envers sa mère et Fritz Pfeffer. Adolescents, nous éprouvons des émotions souvent fortes et passionnées, qui ne représentent pas la seule vérité.

Qu'auraient donc à ajouter les autres – surtout Peter – au portrait qu'Anne Frank fait d'eux ? Comment cette histoire aurait-elle été interprétée du point de vue de Peter ? C'est justement ce que j'ai imaginé. J'ai tâché de ne pas modifier les faits qui concernent la vie dans l'Annexe, ni ce qu'il s'est passé après leur départ de cette cachette et leur entrée dans le monde des camps de la mort (suivant ce qu'il est possible de savoir).

Réimaginer peut être un moyen important de maintenir en vie l'histoire, or personne n'était plus vivant, plus intelligent et

---

1. Tel est le terme qu'utilisaient les nazis quand ils vidaient une zone de ses populations juive et tzigane, des handicapés et des infirmes, avant de les déporter dans un camp de concentration ou d'extermination.

plus curieux d'esprit qu'Anne Frank. Hélas, nous ne pouvons rien changer à ce qui lui est arrivé, ni aux siens ni à ses amis. En revanche, nous pouvons prolonger son histoire, continuer à réfléchir à ce que signifie être un homme, et nous pouvons (comme Anne Frank) essayer de maintenir la mémoire de la Seconde Guerre mondiale pour chaque génération à venir, dans l'espoir que toutes demeurent conscientes des conséquences catastrophiques que peut engendrer la haine.

Prologue

Mai 1945 – Peter : Autriche, Mauthausen, infirmerie

Je crois que je suis toujours en vie.

Mais je n'en suis pas certain.

Je suis malade.

Sûrement, puisque je suis allongé. Nous ne nous allongeons jamais.

Dans les camps, ça n'existe pas, le repos.

Je devrais être en train de remonter des pierres de la carrière. Elle est haute, le sommet est long à atteindre. Je ne suis jamais sûr d'y arriver. Il suffit que quelqu'un devant nous tombe pour que nous tombions tous – à moins d'être rapides. Parfois, les gardiens attendent que l'un de nous franchisse la toute dernière marche, rêvant déjà de déposer son fardeau, de se libérer du poids. C'est là qu'ils nous flanquent un grand coup de botte pour nous renverser. Nous nous écroulons alors comme des dominos.

C'est tout ce dont je me souviens, la chute dans la carrière. Je sens mon corps tressaillir et rebondir. Je sens le corps des autres atterrir sur le mien. Je suis écrasé, corps osseux sous corps osseux. Nous sommes tous tellement anguleux. Mes os crissent. Je suffoque. Les corps bougent et se retirent du mien, les morts poussés par les vivants. Je respire. Mes os se remettent en place en craquant. Je suis vivant et je dois me relever, sinon je serai enseveli sous les corps des morts. J'essaie de me redresser.

Je sais pourquoi les gardiens rient. Je ressemble à une marionnette. Une marionnette en os dont les fils auraient été coupés. Je me lève. Je marche. Je poursuis. En réalité, je suis toujours mort, par terre, et chaque jour un morceau de nous meurt. Et nous le laissons mourir. Il nous le faut – pour survivre.

Bientôt quelqu'un viendra et me réveillera, et le cauchemar recommencera.

J'attends un mot, ce mot :

Wstawać.

Debout.

S'ils viennent, c'est que je dois me lever et me mettre au travail, sinon je dois mourir.

Je suis peut-être déjà en train d'agoniser.

Tout le monde finit par mourir, il n'y a pas d'autre issue.

À présent, c'est mon tour.

C'est un soulagement.

Le problème, quand on est allongé, c'est que les souvenirs affluent. Ils ne cessent de remonter, de me rappeler qui je suis.

Le monde.

Ma vie.

Les Juifs allemands ont un mot pour ça.

Heimweh.

Le mal du pays. Un mal que nous tâchons d'éviter, si possible. Il peut être fatal.

J'ai chaud. J'ai mal à la tête. Tout mon corps est endolori. Non, ce ne sont que des mots, ils ne suffisent pas à expliquer la douleur. La façon dont mes os raclent les uns contre les autres. Il n'y a pas de mots pour une telle souffrance.

Les souvenirs sont pires encore – images d'un temps perdu. D'un temps qu'il me faut renier, lorsqu'ils reviennent me réveiller, afin de *poursuivre. Mettre un pied devant l'autre, faire comme s'il n'y avait que cet instant-ci, ce jour, cette nuit à traverser – et survivre.*

Pour raconter mon histoire.

Mais les souvenirs persistent, se pressent aux limites de ma résistance, se diffusent.

Il y avait une toute jeune fille, n'est-ce pas ? Et un lieu.

Un lieu où les feuilles tombaient d'un arbre et atterrissaient sur l'eau, comme des pièces d'or, tandis que nous regardions à travers la fenêtre du grenier... et avant, une maison, une rue, un monde, une jeune fille que j'aimais...

PREMIÈRE PARTIE

L'Annexe

13 juillet 1942 – Peter van Pels : Amsterdam, Zuider-Amstellaan

Je cours dans les rues ; c'est le petit matin et le soleil essaie de percer à travers la brume. Le bruit de mes pas résonne. Mes pensées se bousculent dans mon esprit : je n'irai pas me cacher. Je n'irai pas me cacher – surtout pas avec les Frank !

Je ne sais pas où je vais ; tout ce que je sais c'est que je ne peux pas. Je ne pourrai jamais rester enfermé dans un minuscule appartement avec deux filles (surtout Anne Frank), maman et Mme Frank ! C'est pas parce que papa fait des affaires avec eux qu'il faut qu'on les apprécie ! Je préfère tenter ma chance en courant dans les rues.

Mes pieds martèlent le trottoir. Quelque part derrière moi, j'entends le vrombissement d'un moteur. J'ai compris. Nous le connaissons par cœur, ce bruit qui signale l'arrivée d'un véhicule militaire.

Je ralentis, me dissimule dans l'ombre. Le couvre-feu pour les Juifs a toujours cours, même si je n'ai pas une tête de Juif.

J'y suis presque.

Devant chez Liese.

– Liese.

Je chuchote son nom. J'imagine son visage, ses yeux mauves, ses cheveux sombres et soyeux. J'imagine sa réaction quand je lui dirai que je me suis enfui. Peut-être me prendra-t-elle dans ses bras ; peut-être s'allongera-t-elle dans l'herbe avec moi. Peut-être...

Il faut que je me concentre. Que je grimpe sur le mur et saute dans le jardin arrière de sa maison.

Je prends mon élan et je saute. Le mur est haut. Raté.

Le bruit du moteur se rapproche.

Je me précipite sur le mur, prends appui du pied gauche et

19

tends la main droite pour en agripper le haut, la peur au ventre – cette fois-ci j'y arrive.

Je m'écroule sur la pelouse. Reprends mon souffle et tâtonne autour de moi pour trouver une pierre, une brindille, n'importe quoi, que je pourrais lancer contre le carreau de sa fenêtre.

Soudain, quelque chose m'arrête. Je tends l'oreille. Les rues sont plongées dans le silence. Complet. Le moteur a donc été éteint. Je suis figé, immobile. Et s'ils m'avaient aperçu ? S'ils étaient en train de patrouiller dans les rues en ce moment même, aux aguets, attendant que je me trahisse – par un bruit ?

Tout à coup, le silence est rompu. Vacarme, martèlement contre la porte et hurlements.

– Ouvrez ! Ouvrez !

Debout dans le jardin, je suis tétanisé. Les lumières s'allument. J'aperçois le visage de Liese derrière la vitre au moment où elle tire les rideaux – puis elle disparaît. Toute la famille réapparaît derrière la fenêtre du salon éclairé. Ils sont en tenue de nuit. S'agitent, se défendent, mais finalement bouclent leurs bagages, mettent leur manteau et disparaissent – emportant Liese.

Je sais qu'ils convoquent les jeunes filles. Je le sais, c'est pour ça qu'il faut qu'on se cache, parce que Margot Frank a été convoquée. Mais jamais je ne pensais que ça arriverait à Liese.

J'essaye de me précipiter vers elle, mais mes jambes ne suivent pas, je reste figé, ma pierre à la main. Combien de temps s'est écoulé avant que je bouge, que je saute par-dessus le mur pour courir jusqu'au coin de la rue ? Je l'ignore, mais c'est trop tard. Déjà le fourgon s'éloigne. Tourne au coin de la rue et accélère.

Liese est à l'intérieur.

Je cours. Je cours à toute vitesse mais le fourgon file.

Liese !

Liese !

Le fourgon disparaît. Je cours jusqu'à ce que je m'écroule. Trop tard.

Trop tard.

Elle a disparu.

Je refuse d'y croire. Pourquoi ? Pourquoi elle ? Pourquoi maintenant ?

Je retourne chez elle. La porte est verrouillée mais je sais où est cachée la clé. Lentement, j'ouvre. Tout est en ordre, propre. Le couvercle du piano est ouvert, la partition du morceau de musique préféré de Liese sur le pupitre. Rien n'a changé, mais sans Liese la maison est vide et tout est différent. Où l'ont-ils emmenée – pourquoi les ont-ils tous emmenés ? Où aller à présent ?

Je regarde la rue derrière la fenêtre. Jette un coup d'œil sur ma montre. Six heures vingt-deux. Je suis attendu au bureau de M. Frank dans quelques heures. Nous devons arriver séparément. Entrer dans le bâtiment comme si nous avions rendez-vous – sauf que, cette fois-ci, nous n'en sortirons jamais.

Nous resterons sur place.

Personne ne sait pour combien de temps.

Je regarde à travers la vitre.

Les rues au petit matin sont vides, comme moi. Je suis incapable de penser à quoi que ce soit – si ce n'est au fourgon s'éloignant et à moi, debout, qui ai laissé faire ! Comment ai-je pu penser que je pourrais leur échapper ou me battre contre eux ?

Elle a disparu.

J'ai compris ce qu'il me reste à faire.

Me cacher.

J'attends et j'observe les rues où les premiers passants apparaissent. J'attends et j'observe le soleil s'élever dans le ciel. J'attends et j'observe le monde qui s'éveille à la vie. J'attends en sachant que je n'irai me réfugier nulle part car il n'y a nulle part où se réfugier.

Ce monde n'est plus le mien, c'est le leur : celui du Parti national-socialiste des travailleurs allemands, celui des nazis. Ils me l'ont arraché, morceau par morceau. Je n'ai pas le droit de prendre le tramway ni de conduire une voiture comme les autres. Pas le droit de nager dans la même eau ni de regarder un film dans la même salle. Pas le droit de faire des courses dans les boutiques des Gentils. Pas le droit de m'asseoir dans la rue. Pas le droit de boire aux fontaines. Pas le droit d'aller où que ce soit sans une étoile sur ma poitrine. Pas le droit de... Pas le droit de... Pas le droit de faire le moindre geste. Si quelqu'un m'agresse, je ne peux compter sur l'aide de personne, et je n'ai pas le droit de me défendre. Si je me défends, ils me roueront de coups jusqu'à ce que j'en meure, et personne n'interviendra. Si je ne me défends pas, alors je serai ce qu'ils disent que je suis – un petit Juif lâche.

Je n'existe plus. Ils m'ont transformé en un non-être afin de m'effacer de la surface de la terre.

À présent, cela me semble évident.

Comment ne m'en suis-je pas rendu compte plus tôt ?

Comment ai-je pu m'aveugler ?

Comment ai-je pu penser que je pourrais m'enfuir ?

Comment ai-je pu penser que je pourrais me battre ?

Il faudrait que j'y aille. C'est l'heure. Je viens de trouver un cartable et une veste abandonnée, avec une étoile cousue sur la poitrine, mais finalement je renonce. Si ça doit être ma dernière traversée de la ville à pied, que celle-ci soit libre – comme moi –, et s'il m'arrive quoi que ce soit, s'ils m'arrêtent, eh bien, qu'ils m'arrêtent.

Aller à pied jusqu'à Prinsengracht est long, environ une heure. Au bout de la rue se trouve un entrepôt, et au-dessus, au fond, cachée, se trouve une annexe.

Personne ne connaît son existence, sauf les employés qui doivent nous aider à y entrer. Papa prétend que nous avons de la chance. Parce qu'il est en affaire avec M. Frank. Parce que M. Frank nous a proposé de nous cacher avec sa famille dans cette annexe. Je ne suis pas d'accord. Je préférerais être en Amérique.

J'ai un plan de l'Annexe. Je sais comment entrer dans l'entrepôt, quel escalier emprunter et comment aller jusqu'au fond, là où se trouvent les pièces cachées. Là où je serai caché.

Il faut que j'y aille.

Si je le veux bien.

Je suis dehors. Le soleil illumine mon visage. Je n'ai pas d'étoile sur la poitrine. Je suis libre. Une heure encore. Une dernière heure. Tout, autour de moi, me paraît étrange : net, resplendissant. Sans étoile, je n'ai droit à aucun regard apitoyé. J'avais oublié le plaisir d'être anonyme. Je m'arrête. Je bois de l'eau à une fontaine. Maman serait horrifiée. Si j'étais surpris, je pourrais être arrêté, tué, déporté. Un Juif qui boit de l'eau à une fontaine ! Je risque de contaminer tous les non-Juifs – avec quel virus, j'aimerais bien savoir ?

Qu'avons-nous donc qui soit si nuisible ?

– Quelle matinée splendide ! s'exclame une femme en souriant.

Je lui rends son sourire, mais au fond de moi je songe : « Je suis juif, idiote, vous ne le voyez pas ? Vous êtes incapable de deviner ce que je suis sans une étoile pour vous mettre sur la piste, c'est ça ? Tenez, suis-je tenté de lui répondre, mettez-la. Puisque vous avez tellement pitié de nous, pourquoi est-ce que vous ne portez pas tous une étoile ? Qui pourrait nous distinguer, alors ? »

Je me contente de lui sourire.

Et de continuer ma route.

J'arrive à destination très vite – trop vite. Les grandes avenues ont laissé place aux canaux et aux ruelles qui cernent le centre d'Amsterdam. J'y suis. Devant l'entrepôt. 263 Prinsengracht. J'observe, ahuri, les grandes portes en bois et la petite entrée en haut des marches par laquelle je suis censé passer.

J'ai peur.

Envie de fuir. Courir, encore et encore, sans m'arrêter jusqu'à ce que je retrouve Liese. Je la prendrai par la main et nous filerons jusqu'à ce que nous trouvions des bois, des collines, des grottes, où nous pourrons nous cacher. Hélas, il n'y a rien – seul un pays plat. Nous avons déjà fui l'Allemagne pour venir ici. Désormais, nous sommes cernés. Les nazis sont partout : au Luxembourg, en Belgique, en France. La Hollande n'est qu'une petite poche dans un grand manteau infesté par les nazis.

J'ai la nausée.

Je sens le soleil qui me tape dans le dos.

Je me retourne et j'observe la rue. Je ne devrais pas, je ne devrais pas faire le moindre geste attirant l'attention, mais c'est plus fort que moi. Je me retourne et contemple la rue longue et étroite. Les arbres et l'eau du canal. Les passants. Désormais peu importe le temps que je demeure ici à observer. Rien ne changera.

Liese ne reviendra pas.

Je ne la reverrai sans doute jamais.

Mon nom est Peter van Pels. Bientôt, j'aurai seize ans. Je monte les marches de pierre et tourne la poignée de la petite porte en bois. Je la pousse et je fais un pas. La porte se ferme derrière moi.

Je vois encore la rue et je sens la douce brise d'été. La brise fraîche. Dans l'Annexe, je me souvenais de la brise comme aujourd'hui je me souviens du goût des légumes frais et de l'éclat d'un rire. Comme d'un bien déjà perdu – qu'il vaut mieux oublier.

13 juillet 1942 – Peter arrive dans l'Annexe : 263 Prinsengracht, Amsterdam

Il fait chaud et sombre entre les deux portes. L'air est rance. Je pousse la seconde porte et monte l'escalier. Je me concentre pour me rappeler le plan de la maison.

Je ne peux pas me permettre de me tromper. De faire le moindre bruit. Je passe devant une vitre sur laquelle est écrit BUREAU. Derrière résonnent des voix, des silhouettes de personnes se déplacent. Je suis un fantôme ; ils ignorent ma présence. Je monte à tâtons dans la cage obscure et étroite. La chaleur est étouffante. Quelques marches et la cage s'élargit. Sur ma gauche, une fenêtre, couverte de tissu noir. Et en dessous, un autre escalier qui descend. Je m'arrête et attends que ma vue s'habitue à l'obscurité. Face à moi se trouve une porte avec un loquet. Je n'ai aucune envie d'entrer. J'ai envie de faire demi-tour. Envie de fuir. Quand, soudain, je revois le fourgon s'éloignant dans la rue. Mon cœur bat si fort que je ne peux plus respirer. Vite, je soulève le loquet, avant de réfléchir, et j'ouvre.

J'entends une voix, haute et claire :

– Bon, on a de la chance, non ? Imagine, sans un père pour nous dénicher une cachette, ou si on était tous enfermés ici à se détester !

Violente pointe d'agacement. Anne Frank, toujours aussi bruyante et sûre d'elle !

De la chance ? Comment ça, de la chance ? Elle parle comme si on jouait à un jeu de société.

Pile devant moi se trouve un nouvel escalier, raide et dangereux. C'est de la gauche que montent les voix. Tout est petit et étriqué, comme les rues et les canaux à l'extérieur. Et sombre.

Je tourne à gauche et m'arrête sur le seuil. La famille Frank est assise autour d'une table. Tous se retournent et me scrutent.

– Oh ! s'exclame Mme Frank.

Un long silence, signe de choc, suit.

– Ah, Peter ! C'est toi ! J'ai mis quelques secondes à te reconnaître.

Je cligne les yeux. J'ai du mal à identifier leurs visages dans la pénombre. M. Frank se lève et se dirige vers moi.

– Peter, tu es là ! Viens, je vais te montrer ta chambre.

– Ta chambre ! réplique Anne. J'aurais du mal à appeler ça une chambre.

– Anne ! la rabroue sa mère.

Je ne lui accorde pas le moindre regard. Elle est assez orgueilleuse pour que je ne cherche pas à entrer dans son petit jeu.

– Salut, Peter, me dit tranquillement Margot.

Je la salue en silence. « Que fais-tu ici ? » La question fuse brutalement à travers mon esprit. « Que fais-tu ici, alors que Liese n'est pas là ? »

M. Frank me conduit vers l'escalier raide que j'ai repéré. Je monte derrière lui, lentement. Nous traversons une cuisine.

– Cette pièce sera la chambre de tes parents et notre cuisine commune. J'ai peur que chaque pièce fasse double emploi, tu comprends.

Je ne réponds pas. Je ne peux pas. À côté de l'évier, une porte. Qu'il franchit.

– Et voilà ta chambre.

Je remarque une fenêtre cachée par un store de couleur sombre. Difficile de croire que le soleil existe toujours derrière – et brille. Le manque d'espace est tel que nous nous frôlons. Sur le côté un autre escalier mène plus haut.

– Nous sommes sous le grenier où nous stockons tout et

étendons notre linge, autrement dit, il faudra que nous traversions ta chambre, je suis désolé.

Au moins, il y a un peu de lumière.

– Les fenêtres du grenier sont trop hautes pour que nous puissions les couvrir, explique M. Frank, du coup ta chambre est un peu éclairée.

On dirait qu'il a lu dans mes pensées. Ouf. Coincé contre l'escalier se trouve un lit. Et au pied du lit, un bureau.

– Bon, reprend-il, ce n'est peut-être pas ce qu'on appelle normalement une chambre, mais en tout cas elle est à toi.

Je m'assieds sur le lit.

– Merci, dis-je.

– Je vais te laisser... (Il s'arrête à la porte.) Tu veux voir la salle de bains ?

Je secoue la tête.

– Tu connais le nom des employés qui travaillent à l'étage inférieur et qui sont prêts à nous aider, n'est-ce pas ?

Je secoue la tête, je ne m'en souviens pas. M. Frank sourit.

– Ne t'inquiète pas, tu auras largement le temps de faire leur connaissance. Miep Gies est notre relais principal avec le monde extérieur, ensuite tu as M. Kugler, M. Kleiman, et Bep et son père, M. Voskuyl.

– Merci.

– Allez, quand tu seras prêt, descends boire un verre, et bienvenue parmi nous, Peter !

– Merci.

Vite, pourvu qu'il disparaisse.

Je m'allonge. Je ferme les yeux. Il fait tellement chaud que j'ai des élancements dans le crâne. Il n'y a pas d'air. Si j'étends les bras... si je les étends, ils heurtent l'escalier d'un côté, et le mur de l'autre. Si j'étends les jambes, mes pieds cognent contre le bureau. Je suis allongé sur le lit et je tâche de ne pas bouger. Dehors, quelque part, l'horloge d'une église sonne le quart d'heure.

Je tremble. J'ouvre les yeux mais je revois le visage de Liese derrière la fenêtre et le fourgon qui s'éloigne.

Où est-elle ?

Où vont-ils l'emmener ?

Des voix résonnant dans la pièce voisine me réveillent.

— Madame van Pels, ne me dites pas que vous avez apporté des chapeaux dans une boîte à chapeau ! s'exclame Anne en riant.

— Mais non ! répond maman. Ce n'est pas un chapeau, c'est un pot de chambre !

Tous éclatent de rire, dont maman, particulièrement fort. Je tire le drap et enfouis ma tête sous le coton léger en me recroquevillant. Hélas, la même image me hante... le visage de Liese... Une douleur cuisante, aveuglante, me brûle le crâne. Blanche, comme la foudre.

Maman apparaît dans l'encadrement de la porte.

— Peter ? Peter !

Elle cherche à me prendre la main en se mordillant la lèvre.

— Tu es là, Dieu merci !

— Pourquoi voudrais-tu que je ne sois pas là ?

Elle m'observe. Je détourne le regard.

Elle avait donc compris que j'ai failli fuir.

Je ne dis pas un mot.

Je voudrais qu'elle s'en aille.

Mais elle reste et examine la pièce.

— Oh, *Petel* ! Ta chambre est tellement étroite. Enfin, au moins, nous sommes ensemble, et tous en vie !

Sauf Liese.

Je ne moufte pas. De toute façon, je suis peu bavard, contrairement aux Frank. En revanche, je réfléchis beaucoup. Comment peut-on se retrouver dans un espace aussi exigu ? Comment peut-on appeler ça être en vie ? Nous sommes piégés dans ce bâtiment, tels des rats dans une maison en flammes, attendant qu'on vienne les arrêter. La douleur me déchire à nouveau le crâne, telle la foudre pulvérisant le clocher d'une église.

La voix d'Anne résonne et flotte dans la cage d'escalier :

— On a déjà fait des tonnes et des tonnes de confiture... tu n'as pas remarqué comme ça sent bon la cerise et le sucre ! Au fait, papa, je suis sûre que c'est la cachette la plus introuvable de tous les Pays-Bas !

Mon corps se contracte. Je n'y peux rien, c'est plus fort que moi. Dès qu'il l'entend parler, il se tend. Comme s'il avait une vie indépendante. Comme s'il voulait traverser les murs pour retourner dehors.

Là où se trouve Liese, où qu'elle soit.

Pourquoi ne suis-je pas resté ? Pourquoi ne me suis-je pas battu ? Pourquoi suis-je demeuré là, immobile, une pierre à la main ?

— Elle parle comme si on était là pour prendre le thé !

— Peter ! me reprend maman. Il faut que nous soyons...

— Reconnaissants, complété-je en la coupant, parce que si je l'entends prononcer le mot je risque de hurler ou de la gifler.

— Je suis désolée. Je sais que ça va être difficile pour toi, mais dis-toi que nous avons de la chance. De la chance d'être en vie et d'avoir quelqu'un qui nous a proposé de nous cacher !

De la chance ! Encore ce mot. De la chance !

Je n'ai pas du tout l'impression d'avoir de la chance.

— Peter ?

— Quoi ?

— Il n'y a pas qu'un pot de chambre dans la fameuse boîte !

Elle indique la porte et qui vois-je, sur le seuil, la tête inclinée sur le côté et les oreilles dressées ? Muschi[1]. Mon chat.

---

1. À vrai dire, Muschi est arrivé avec Peter. Je suis reconnaissante à Carol Anne Lee de me l'avoir précisé, de même qu'Anne a beau faire référence à Muschi comme si c'était une chatte, en fait c'est un mâle.

– Oh !

Maman sourit. Le chat bondit sur mes genoux et se blottit contre moi.

– Merci !

– Tu vois, maintenant qu'il est avec nous, comment nous plaindre ?

Je ne réponds pas. J'enfouis mon visage dans sa fourrure. Quand je lève les yeux maman a disparu.

Je ne savais pas.

Je ne savais pas qu'avoir un lit sous un grenier est un luxe. Je ne savais pas que pleurer, comme je pleurais ma liberté, est une bénédiction et un privilège, et aussi une souffrance.

Ici, dans le camp, les émotions n'existent pas. Seules les minutes qui s'égrènent, le pied que l'on pose devant l'autre, la boue, l'effort pour se tenir droit, la cuillère à soupe à laquelle on s'agrippe afin que personne ne vous l'arrache. Vous ne pouvez pleurer personne. Vous êtes trop occupé à faire en sorte que ce ne soit pas vous qu'on pleurera.

8 août 1942 – les rêves de Peter
sont hantés par Liese

Je me réveille, le cœur battant, cliquetant tel un train dans un tunnel. Obscurité.

Mains moites.

Mes yeux grands ouverts cherchent à se repérer dans le noir.

J'essaie de m'accrocher à un objet. Ma main tâtonne mais il a disparu. S'est évanoui. Informe et fini. Je sens que j'ai le visage rouge. Quelque part au loin, l'horloge de l'église sonne trois heures. Dans la pièce à côté, maman grommelle et remue.

Ai-je été bruyant ? Quelqu'un m'aurait-il entendu ?

J'écoute le silence. Ma chambre est tellement en hauteur. La nuit semble complètement différente.

Le souvenir de mon rêve me revient sans prévenir. Je rêvais de Liese. De Liese au milieu d'une cohue. Entraînée par un flot de gens. Ses cheveux sombres sont comme un point dans la foule.

– Liese !

Je suis terrifié à l'idée que personne ne sache qui elle est. Personne, sauf moi.

Elle se retourne. Ses yeux mauves sont immenses, apeurés, nos regards se croisent juste avant qu'elle ne soit emportée par le flot de gens. Contrainte par les hautes berges formées par les soldats sur les côtés.

Je me retrouve tout près d'elle. Contre elle, poussé par les milliers de corps autour de nous. Qui nous soulèvent du sol. Mon visage plonge contre son sein, mes bras autour de son corps. Je sens qu'on nous emporte tandis que ses jambes entourent ma taille… Je m'ensevelis en elle. Je la serre de toutes mes forces jusqu'à ce que nous explosions ensemble.

Puis je suis loin, très loin au-dessus de nous deux, observant les souvenirs qui s'écoulent hors de moi. Le goût de ses lèvres, le toucher de sa peau sous mes doigts, la première fois que je l'ai vue, ses mains qui couraient sur le clavier du piano, le jour où je lui ai proposé de porter ses livres... Les souvenirs pleuvent autour de nous tandis que nous nous accrochons l'un à l'autre.

Le flot de gens continue à avancer, comme si de rien n'était.

– Liese, chuchoté-je.

Elle a pris mon visage entre ses mains et nous nous observons, les yeux dans les yeux.

– Peter !

Je tends la main, mais déjà elle s'éloigne. Impuissant, je la vois qui se fond dans la foule. Et m'appelle :

– Peter !

« Je suis Peter. » – telle est la pensée qui me réveille.

Voilà qui je suis.

Je suis Peter.

Je murmure ces mots dans la nuit.

J'essaie de rappeler, de retenir la chaleur de son corps entre mes draps.

Comment vais-je pouvoir laver ces draps ? Comment dissimuler ma honte ? Comment vivre, désormais ?

Oui, je suis Peter – mais quelqu'un me dira-t-il comment ?

9 août 1942 – Peter suffoque
au cœur de l'Annexe

– *Petel*! *Petel*! (La voix de maman me réveille.) Lève-toi. Tout le monde se demande où tu es.

Je ne peux pas. Il fait trop sombre, comme si le jour ne se levait jamais. J'ai l'impression de commencer la journée épuisé.

– Je suis fatigué, je réponds avant de me retourner dans mon lit.

– Je te donne cinq minutes!

Elle a honte de moi. Je devrais être debout, non pas couché. Je devrais reconnaître que j'ai de la chance, non pas avoir peur de mourir. Or, je n'ai qu'une envie, dormir.

La cuisine est juste à côté de ma chambre. C'est là que nous prenons le petit déjeuner. J'entends tout. Papa est en train de raconter à qui veut l'entendre comment il a réussi à berner les gens en disant que les Frank s'étaient enfuis à Maastricht. J'entre en vacillant. Personne ne me dit bonjour mais tous me fixent, moi, les habits dans lesquels j'ai dormi, mes cheveux sales. Je m'assieds. Ils hochent vaguement la tête et poursuivent.

Je me demande si je suis vraiment là.

L'histoire est la suivante : ce qui est arrivé après le départ des Frank. Je l'ai déjà entendue mille fois, tout le monde la connaît par cœur, mais personne ne s'en lasse. J'ai beau me concentrer pour écouter, leurs voix semblent arriver jusqu'à moi de très loin. Et même si les mots font sens dans mon esprit, je ne suis pas sur la même longueur d'onde. Je tremble quand ils rient.

Anne me dévisage – regard dur, interrogateur. Une légère rougeur me monte aux joues. Elle détourne les yeux, méprisante.

– ... la vieille Mme Siedle en personne m'a dit qu'elle vous avait vus embarquer dans un véhicule militaire avec vos bagages ! raconte maman.

Je me souviens de mon pied prenant appui contre le mur du jardin de Liese, du fourgon militaire approchant dans la rue.

– C'est vrai ! renchérit papa. Moi aussi, je l'ai entendue ! Alors que nous sommes tous ici, au cœur de la même ville ! Qui l'eût cru ?

Tous éclatent de rire. Anne me fusille du regard.

– Je n'ai pas l'impression que Peter trouve ça très drôle, dit-elle.

Brusquement, je me lève et renverse ma chaise. Tous, un à un, se tournent vers moi. Je tâche de me tenir droit et de rester poli. Je ne sais pas ce qui m'arrive. J'ai comme la tête pleine de copeaux – de résidus sans forme ni sens.

– Excusez-moi.

Je sors de la pièce. Derrière moi, Anne applaudit comme un enfant face à un cadeau.

– À partir de maintenant, plus personne ne pourra se douter qu'on est ici. Jamais !

Et tous de rire de plus belle.

Je ne m'allonge pas, je m'écroule sur mon lit. Chute pour me libérer des pensées qui me hantent.

Où es-tu, Liese ?

Comment peut-on trouver ça drôle ?

Suis-je le seul au monde à ne pas en rire ?

J'ai tort de m'assoupir – j'ai l'impression de me noyer.

Impossible de me lever. Les jours se suivent, mi-ombre, mi-lumière. Je dors. Je mange mais la nourriture n'a aucun goût. Dès que les Frank s'adressent à moi, je rougis et je vacille.

Je rêve de Liese. Il m'arrive de me réveiller les draps mouillés et le cœur battant. Je ne distingue plus ce qui est réel. Je crois qu'Anne est venue me voir, mais elle est restée sur le seuil de ma porte.

– Tu aimes bien ta chambre, Peter ?

– C'est pas une chambre, c'est un bout de couloir.

Elle lève les yeux au plafond. Elle est toute menue, encore enfant, contrairement à Liese.

Liese.

Liese.

Liese.

Où es-tu ?

Je frémis. Je lève le regard, Anne a disparu. Était-elle ici ? J'en doute.

Si je ferme les yeux, je sens la main de Liese se poser sur moi. Lumière. Douce, comme un papillon. J'ai failli gémir tout haut. Je me retiens. J'ai un point de côté, une douleur lancinante. Je n'arrive plus à respirer.

Et si j'étais en train de mourir ?

– Je meurs !

Je n'en reviens pas, je n'ai pas pu parler tout seul. Il faut croire que oui puisque tout le monde me regarde.

Je pique un fard.

– Franchement, Peter ! s'écrie Mme Frank en attrapant une serviette à thé propre.

– Tu sais ce que ça veut dire « *hypocondriaque* » ? demande Anne.

– Je n'arrive pas à respirer !

– Si tu t'activais un peu plus et dormais un peu moins ? ajoute M. Frank d'une voix douce.

Maman et papa échangent un regard furieux.

Personne ne croit que je suis malade.

Je retourne me coucher.

Les cloches de l'église de Westertoren sonnent minuit. Je grimpe discrètement l'escalier qui mène au grenier. Une des lucarnes est entrouverte, à peine. Je m'allonge et je respire l'air frais du dehors. Je le bois.

– Entends-tu les cloches, Liese ?

Je contemple la lune, comme nous nous étions promis de le faire ensemble. Nous ne nous sommes jamais dit au revoir, simplement :

– À dix heures.

– À dix heures.

Je chuchote ces mots – les murmure-t-elle aussi quelque part ?

Où es-tu ?

Je m'endors sous le filet d'air que laisse passer la lucarne. Je ne rêve pas. Je dors en me demandant si la lune brille et nous éclaire tous les deux. Toute la nuit, j'entends les cloches marquer les quarts d'heure dans mon sommeil.

Les entends-tu, Liese ?

Quand je me réveille, il fait jour. Les oiseaux gazouillent dans le grand marronnier à l'extérieur. J'ai le cou engourdi et la tête penchée de côté, comme si elle était tordue et à l'écoute. Ou cassée. Cherchant à entendre une voix qui n'est plus.

L'horloge sonne cinq coups. De nouveau je perçois, au-delà des cloches, le claquement régulier des roues sur les rails, les trains qui nous emportent au loin. Mais où ? On entend des chuchotements, telles les roues. Des rumeurs, tels des tunnels noirs. Car nous le savons, n'est-ce pas ? Nous le savons, tous, mais nous ne pouvons pas le dire.

Vers les camps.

Les camps de la mort.

Brusquement, j'en ai la certitude. Elle est partie. Elle était ici, à Amsterdam, là où j'entends l'horloge, mais désormais elle a disparu – parmi ce flot de gens.

Je descends du grenier, le corps raide, lentement.

– Peter !

Maman m'observe, debout au pied des marches. Depuis combien de temps est-elle là ?

– Oui ?

Soudain, j'aperçois mon drap souillé, en boule, dans sa main. Elle a refait mon lit avec un drap blanc impeccable.

– Je...

– Chut ! murmure-t-elle en souriant. Ne t'inquiète pas. J'ai le temps de le laver avant que les Frank se réveillent, ensuite je remplacerai leur drap.

– Merci, murmuré-je, mais elle a disparu.

Mon lit est agréable. Frais et net. Je dors sans faire de rêves. Quand j'ouvre l'œil, l'heure du petit déjeuner est passée.

Voilà comment m'apparaît maman quand je rêve à elle : debout au pied des marches, comme lorsque j'étais enfant, les jambes légèrement pliées et les mains levées jusqu'à ce que je saute dans ses bras.

Je rêve que je suis dans des draps propres, sur un vrai matelas, et que je me réveillerai avec le soleil illuminant mon visage. Mieux encore, je me retournerai dans mon lit et me rendormirai sous la douce clarté.

Hélas, ce n'est qu'un songe.

J'ouvre un œil et je suis obligé de ramper au-dessus des morts et des corps à l'agonie pour aller faire pipi dans la tinette. Je tends l'oreille. Heureusement le pot n'est pas trop plein. Un pot de chambre plein peut être synonyme de mort. Il faut sortir le vider dans la nuit glacée. Impossible de retrouver le sommeil après.

Tout espoir de repos est perdu.

Je rentre et j'attends jusqu'à ce que j'entende le mot qui nous arrache à notre couchette :

Wstawać.

Debout.

Mais seul le silence résonne.

21 août 1942 – le père de Peter se fâche

– Peter ! Peter ! Peter !

Je n'avais pas conscience de dormir. Mon nom siffle à travers l'air, furieux.

– Peter ! Peter ! Peter !

C'est mon père. Vite, je me redresse.

« Quoi ? » suis-je sur le point de hurler, quand soudain il me plaque la main sur la bouche et repousse ma tête contre mon oreiller.

– C'est moi, papa, ne t'inquiète pas, surtout ne fais pas de bruit.

Je tâche de me détendre. Ferme les yeux. Mon cœur bat à tout rompre.

– Allez, lève-toi et viens m'aider. Tout de suite. Tu m'entends ?

Je repousse sa main, les yeux fermés, mais il résiste.

– Tu pourrais montrer que tu es un homme !

Je me détourne. J'ai envie de me rendormir, être partout sauf ici.

– Comment oses-tu te comporter de façon aussi honteuse pour nous ? Tu as presque seize ans. Allez, sors de ton lit. Viens nous aider. Les deux filles mettent plus souvent la main à la pâte que toi.

– Si je ne peux pas me battre, à quoi bon ?

– Te battre ! Tu crois que tu peux te battre contre ça ? Tu ferais mieux de te rendre utile, c'est la seule façon de se défendre.

Je ne bouge pas. Je l'observe.

– Montre-moi que tu es capable de te lever pour travailler avant de déclarer que tu veux te battre !

– D'accord, mais pousse-toi.

Il se retire. Je me lève, lentement, en partie parce que je tremble, en partie pour l'agacer. Il m'attend au pied des marches. L'espace est si étroit que je peux difficilement passer sans l'effleurer.

– Je t'attends dans la cuisine. Dans deux minutes, dit-il.

Une fois qu'il est parti, je m'habille.

Je descends. M. Kugler est en train de camoufler l'entrée de l'Annexe.

– Bonjour, me lance-t-il avec un air avenant. Tu pourrais me donner un coup de main, jeune homme ?

Il me demande de ramasser de la laine de bois pour la fourrer dans une taie d'oreiller. Le but est de protéger le haut de l'encadrement de la porte pour qu'on ne se cogne plus contre. J'ai l'impression de faire une corvée étrange et inutile ; je regrette les coups de main que je donnais à tante Henny : réparer ses meubles et ses bibelots préférés, arranger son canapé. Oublions, c'était une autre époque. M. Kugler a transformé la porte d'entrée en bibliothèque pivotante, mais le linteau est tellement bas qu'il faut baisser la tête pour passer dessous. « Génial, pensé-je, une bibliothèque ! » Comme si être enfermé avec la famille Frank, toujours le nez dans un bouquin, ne suffisait pas.

– Tiens, tiens ! s'exclame Anne. Monsieur nous fait l'honneur de sa présence ?

Et si je lui demandais pourquoi elle n'arrête pas de casser des objets, de les faire tomber ou de se cogner à droite et à gauche ? Elle ne pourrait pas être un peu plus attentive ? Et pourquoi se comporte-t-elle comme si c'était une partie de plaisir ?

– Merci, Peter, dit Margot.

– De rien.

Je rougis. Délicate, Margot se détourne, mais Anne m'examine comme si elle voulait saisir la nuance exacte de rouge sur mes joues. Vite, je remonte.

– Quel crétin ! s'exclame Anne en lâchant sa tasse.

Et toutes deux éclatent de rire.

Maman m'attend devant la porte de ma chambre, souriant comme si je venais de vaincre un escadron de nazis plutôt que de clouer une taie pleine de laine de bois !

– Tu as vu tes cheveux ! s'écrie-t-elle en riant.

À mon tour je souris. Bizarre, comme si les muscles de mon visage, tendus, découvraient un nouveau mouvement.

– Viens, je vais te les laver.

Je ne suis pas sûr d'en avoir envie, mais c'est elle qui a subtilisé un drap pour moi dans l'armoire commune, non ? Elle qui a effacé et séché mes péchés, et sans le moindre commentaire. Elle qui se prend les remarques désobligeantes de Mme Frank en pleine figure, à cause de moi :

– Depuis quand vous autorisez-vous à utiliser nos draps plutôt que les vôtres ? Personne ne vous a donné la permission !

Maman ne répond rien, rien sur les bols qu'ils utilisent, les nôtres, alors qu'ils cachent les leurs. Rien sur Anne qui les a presque tous cassés, sans jamais un mot d'excuse. Alors, oui. J'accepte qu'elle me lave les cheveux.

Frotte, gratte, enfonce ses doigts dans mon cuir chevelu comme pour en chasser tout le mal. C'est douloureux.

– Ah ! s'écrie-t-elle. Enfin, je reconnais mon Peter !

– Merci.

– Margot ! résonne la voix d'Anne. Je rêve, sa mère est en train de lui laver les cheveux ! Quand je pense que j'ai treize ans et que je me décolore toute seule la moustache !

– Chut ! murmure Margot.

Trop tard, le mal est fait. Le sourire de maman quitte son visage et tombe sur le sol. Pauvre maman ! Jamais aussi bien que les Frank, jamais aussi intelligente, ni drôle, ni spirituelle. Si Anne était un garçon, je lui flanquerais mon poing dans la figure. Je cracherais dans mes deux paumes, je viserais pile entre ses deux yeux bruns et méprisants, et je pulvériserais son insupportable morgue.

Je la hais.

– Je me sens tellement mieux, m'écrié-je tout haut. Merci, maman, c'est si bon.

Le fait est que je me sens mieux.

Un peu mieux.

22 août 1942 – Peter est agacé

Anne et Margot viennent de découvrir le grenier. Quelle plaie. Elles traversent ma « chambre » comme ça, dès qu'elles ont envie d'y aller. Je sais. Je sais. Le monde s'arrête là où commence l'Annexe (pour reprendre le mot d'Anne), en tout cas pour les Juifs, les Tziganes et tous ceux qui ne correspondent pas aux critères des nazis ! L'autre jour, M. Frank disait qu'ils prétendent savoir qu'on est juif rien qu'en mesurant notre nez ou notre crâne ! Maman a répondu en gloussant :

– Je connais une méthode encore plus sûre pour prouver qu'un homme est juif !

Sauf qu'elle n'a pas osé le dire en face des Frank ; elle a attendu qu'on soit tous les trois seuls en haut.

Quand je pense à ce qui se passe à l'extérieur... et je suis assez bête pour m'énerver contre ces deux épouvantables chipies ! Et encore, Margot a un minimum de décence, mais Anne ! Mademoiselle traverse ma chambre comme ça, sans se gêner.

– Un nouveau petit bobo, Peter-poule-mouillée ?

Elles passent des heures et des heures là-haut, dans le seul endroit où l'on aperçoit un bout de ciel, comme si les combles leur appartenaient. Certes, Mme Frank essaie de rabattre le caquet d'Anne.

– Tu te souviens de ce que disait la mère d'Hanneli ? l'a-t-elle rabrouée un jour.

Anne l'a fusillée du regard avant de pivoter vers son père qui a détourné le regard. Je crois l'avoir vu sourire.

– Dieu a beau être omniscient, Anne en sait toujours plus que lui. Voilà ce qu'elle t'a dit. Alors, permets-moi de te rappeler que tu n'en sais pas plus que Dieu, ma chère !

Anne est sortie de la pièce comme une furie, les lèvres tremblant de rage. Tout le monde faisait semblant d'être occupé. Peu après Margot s'est levée pour la suivre.

– Ça ! s'est écriée Mme Frank, je suis sûre que Kitty va apprécier cette nouvelle scène.

Kitty ? Qui est-ce ? Comment Anne parvient-elle à rester en contact avec elle ?

– Les enfants ont le droit d'avoir leur jardin secret, est intervenu M. Frank avec sa voix naturellement calme et posée. Ce qu'elle écrit dans son journal ne regarde qu'elle.

M. Frank ne lève jamais la voix. Jamais.

– À quoi ça rime d'appeler son journal Kitty ? a répondu Mme Frank.

Son mari a vaguement secoué son quotidien.

J'ai compris ! Anne tient un journal. J'imagine ce qu'elle raconte à longueur de pages – à quel point mademoiselle est exceptionnelle !

26 août 1942 – Peter découvre
le plaisir de lire

Pendant la journée, tous les employés du bureau sont là, à l'étage inférieur : Miep, Bep, M. Kugler, M. Kleiman et les autres. Nous dépendons entièrement d'eux. Ce sont eux qui nous apportent de quoi manger. Qui commandent les cours pour que Margot et Anne continuent à travailler. Qui déposent les revues d'Anne et nous fournissent du papier.

Nous, nous restons assis ici enfermés.

Aujourd'hui, Miep a apporté de nouveaux livres – une immense pile qu'elle a déposée sur la table. Nous sommes censés bûcher. Anne et Margot n'ont aucun mal parce qu'elles ont à cœur d'apprendre le grec, le latin et tout le reste, contrairement à moi. Plus tard, j'ai envie de travailler de mes mains, d'être charpentier. Or, il n'existe aucun manuel qui l'enseigne. Ceci dit, j'ai repéré sur la table un livre qui m'attire, même si je sais que papa ne serait pas ravi que je m'y plonge. Il suffit que je regarde la couverture pour penser à Liese. J'en rêve. Vite, je le chipe et jette un coup d'œil à l'intérieur. Ni vu ni connu.

« Il la tenait dans ses bras, son souffle de plus en plus heurté tandis que ses lèvres frôlaient son... » Je lève les yeux, comme si de rien n'était, repose le roman au sommet de la pile, et emprunte quelques bouquins avant de quitter la pièce. Personne ne dit rien ; seule maman me jette un regard sévère, esquissant un sourire. Nous hésitons, une seconde, je suis soulagé, elle ne dira rien.

– Elle a rapporté des livres intéressants ? demande M. Frank, caché derrière son journal.

– Je ne sais pas, personnellement j'aime bien les histoires d'amour, avoue bien fort maman. Mes histoires préférées sont celles où le héros est bien bâti, a la peau basanée et est un mauvais garçon... un peu comme toi, non, Otto ?

– J'ai du mal à croire que je corresponds au type d'homme qui... Arrête, Gusti ! Tu me taquines ! se défend-il en brandissant son journal.

La famille Frank regarde maman comme si elle avait un grain, mais elle s'en fiche. Elle a décidé de me protéger. Seule Anne ose répondre :

– Ça, c'est bien vrai ! Rien de tel qu'une bonne histoire !

Je me suis réfugié au grenier. Le soleil brille et je lis, assis. J'entends la brise souffler dans les arbres. Le soleil me tape dans le dos, je tourne les pages et je m'évade. Seuls existent les personnages et ce qui va leur arriver, à eux, pas à moi – ou peut-être ce qui va arriver à Liese. J'ai tout oublié, même le temps, jusqu'au moment où je devine la présence de papa derrière moi.

– Peter !

Il est au sommet de l'escalier. Bien sûr. Car nous ne pouvons plus crier. Ni claquer les portes, ni monter en courant, ni ficher le camp quand nous sommes en colère. Nous sommes condamnés à nous surprendre et à murmurer plutôt qu'à crier.

– Peter, qu'est-ce que tu... ?

Soudain, il aperçoit le livre. Sans un mot, avant même que je puisse m'expliquer, il me l'arrache des mains et descend. Je suis estomaqué ! Tant pis. Je me précipite sur ses pas. Je l'aurai, ce livre. Je veux savoir ce qui va se passer.

Tout le monde est dans la cuisine, ça doit être l'heure du déjeuner. Peu importe. J'attrape le bouquin, mais à nouveau il me l'arrache et nous nous battons. C'est moi qui l'emporte. Je suis plus grand et plus fort que lui, et je... Soudain, *clac*, il me GIFLE !

Je lâche le livre pour le frapper. Je brandis le poing sur le côté et... non, je ne peux pas. Je ne peux pas. Tout se bouscule dans mon esprit, j'attends, le poing levé. Et si je le blessais ? S'il fallait appeler le médecin ? Comment en trouver un ? Je tourne les talons. Je suis incapable de frapper mon propre père, alors comment pourrais-je prétendre à la moindre résistance ?

Je suis au grenier, tournant comme un lion en cage. Je ne sais plus quoi faire. Brusquement, j'ouvre la lucarne, peu importe qui me voit. Et si je m'échappais par les toits ? Si je ne sors pas je vais devenir fou. La lucarne n'ouvre pas assez pour que je passe. Je suis piégé.

J'ai envie de...

J'ai envie de...

HURLER.

Frapper contre les murs pour les abattre. Courir assez vite et assez loin pour retrouver la sensation de mon souffle brûlant dans mon corps. Bouger. Vivre...

Je siffle. Un sifflement si puissant que j'ai l'impression que la Hollande tout entière m'a entendu. Je suis juif. Je suis juif ! Et je suis ici, au cœur d'Amsterdam. Caché. Écoutez-moi ! J'inspire et je hurle dans le tuyau du poêle.

– Je m'en fous, je ne descendrai pas !

Ma voix résonne jusque dans les pièces en dessous.

J'éclate de rire.

À tue-tête.

Ah ! Enfin ! Un vrai silence dans l'Annexe. Non pas ce silence qui plane autour de nous en permanence, que nous avons tellement peur de rompre, mais un silence digne de ce nom. Que j'ai provoqué, moi. Je les imagine déjà assis, retenant leur souffle, aux aguets...

Aux aguets...

Aux aguets, au cas où mon cri aurait surpris quiconque dans les maisons et les jardins voisins, quiconque sursautant, levant les yeux, prêt à décrocher son téléphone...

Mais seul papa réagit en hurlant à son tour :

– J'en ai assez de ce gamin !

C'est moi qui l'ai fait craquer ! Craquer et crier aussi fort que moi. Jusqu'au moment où il surgit au sommet de l'escalier avec M. Frank.

– J'exige que tu demandes pardon !

– Peter, je te conseille d'aller dans ta chambre pour réfléchir aux conséquences de ton acte, ajoute M. Frank.

Pas un geste. En vérité, je suis terrorisé à l'idée d'avoir osé hurler.

– Peter ? m'interpelle M. Frank.

Tous deux s'approchent. Je recule jusqu'à ce que je me retrouve plaqué contre le mur, coincé. Ils cherchent à m'attraper, à me ramener en bas dans le noir, les chuchotements, les rêves. J'ai beau me débattre, donner des coups de pied, gesticuler et crier comme la douleur et la peur en moi, ils me tiennent fermement. Me soulèvent pour me descendre et me balancer sur mon lit.

– J'espère qu'un jour, et bientôt, tu apprendras à penser aux autres avant de penser à toi, me déclare papa.

– Essaie de comprendre, renchérit M. Frank. Je t'en prie, Peter, plus de bruit. C'est vital.

Tous deux disparaissent.

J'ai le visage humide.

Je crois que je pleure.

28 août 1942, le soir

Je me réveille. Des voix résonnent dans la cuisine et le jour filtrant du grenier décline. Je monte pour regarder par la fenêtre. Regarder la lumière diminuer jusqu'à ce qu'elle disparaisse du ciel.

Dehors.

Dehors.

Comment un seul mot aussi bref peut-il signifier quelque chose d'aussi vital ?

Les branches du marronnier s'obscurcissent peu à peu, avant de devenir des ombres noires se détachant contre le ciel. Le vent est tombé. Les feuilles ne tremblent plus. Le soleil diminue et plonge au-delà du carreau. Les nuages sont baignés d'une lumière dorée au centre, leurs contours soulignés par un trait d'un noir profond. Peu à peu la couleur s'évanouit, s'écoule et se métamorphose en rose et mauve jusqu'au moment où le ciel entier s'enflamme et crie sa douleur, avant l'obscurité totale.

La nuit tombe et le jour s'achève. J'ai compris. C'est un adieu. Un adieu à la journée et un adieu au dehors.

Dehors.

Je renonce.

Je suis obligé car je n'y ai plus ma place. Si je ne renonce pas, je mets tout le monde en danger. Désormais, je sais.

L'horloge sonne minuit et demi. Nulle étoile ne brille dans notre petit bout de ciel. Je me lève, engourdi. J'avance en tâtonnant jusqu'au sommet des marches raides. J'écoute ma respiration dans le noir.

J'ai peur.

Peur de tomber et de ne plus m'arrêter.

Peur de ne jamais faire l'amour à une fille.

Peur d'être lâche.

Peur que nous soyons piégés.

Peur que nous soyons arrêtés.

Peur que ce soit mon fantôme debout, là, qui m'attend au pied des marches – tout ce qu'il reste de ma vie.

Un pas... puis un autre... je descends prudemment jusqu'au moment où je frôle l'extrémité de mon lit.

Je m'allonge, les yeux grands ouverts, en attendant de me rendormir.

15 septembre 1942 – Anne et Peter
se disputent

Qui est là, dans l'encadrement de la porte ? Anne. Pour une fois, ce n'est pas à moi qu'elle s'en prend, c'est à ma chambre.

– À mon avis, si tu mettais un tapis ici, une armoire contre le mur, ou deux ou trois images... mmm !

Elle est là, la main sur la hanche, la tête de côté et un doigt sur les lèvres, examinant ma chambre. Mais à voir son expression, on dirait que c'est un palais dont elle serait, bien entendu, le décorateur exclusif, à la réputation internationale. Elle me fait rire, parfois, même si je la trouve horripilante, surtout quand elle vient sans prévenir.

– Mmm..., reprend-elle, et si tu mettais une table, ou une étagère, du reste tu n'as pas de couvre-lit à toi ? J'aurais tendance à te conseiller un patchwork, ça égaye une pièce. En plus, tu aurais assez de place sur les murs pour accrocher des photos..., ajoute-t-elle avec un air entendu, comme si elle savait quel portrait je rêverais d'accrocher.

Elle continue à parler et je l'observe. Elle n'en finit pas de jacasser. Un vrai moulin à paroles. Si c'était des balles, on arrêterait un escadron entier avec. Quelques milliers d'Anne et le monde entier serait sauvé. Dans mon esprit, j'imagine une bulle, ou plusieurs : une bande dessinée. Une rangée entière d'Anne au premier plan.

– Parlez ! hurlerait le commandant, et toutes s'y mettraient. Les adversaires tomberaient comme des mouches, frappés par les mots.

J'éclate de rire. Pique un fard. Anne s'arrête au milieu d'une phrase. Nous échangeons un long regard. Elle est très mince. Avec des yeux bruns profonds dans lesquels la lumière danse. Et des cheveux bouclés qui encadrent son visage comme une couronne d'électricité statique. Mais au-delà des mots, c'est encore une enfant – contrairement à Liese.

– Qu'est-ce qu'il y avait dans le bouquin que tu as piqué ? me demande-t-elle tout de go.

– C'est pas un livre d'enfants, je réponds, honteux.

Elle fait la moue et tourne les talons. Puis change d'avis, s'arrête et me fusille du regard, vexée, deux taches rouges brillant sur ses joues.

– Tout le monde a compris, tu sais, dit-elle.

– Compris quoi ?

– Que tu es une mauviette et un cœur d'artichaut ! me lance-t-elle avant de filer pour de bon.

J'ai l'impression d'avoir été frappé en plein ventre. Ça se voit tant que ça ? Je la déteste. Qu'est-ce qu'elle sait, elle ? À part ce qu'elle lit dans les livres. Je lui en veux à mort. De quel droit débarque-t-elle ainsi dans ma chambre ? Pour qui se prend-elle ? Un jour, maman m'a dit qu'on devrait cacher un petit pois sous son matelas pour voir si elle est aussi noble que ce qu'elle prétend.

Une mauviette et un cœur d'artichaut !

Les mots m'écorchent les oreilles.

Moi, un cœur d'artichaut ?

Hélas, je crois que c'est vrai.

Faut-il que j'en aie honte ?

Je l'ignore.

Il arrive qu'une question n'ait pas de réponse. Que seuls demeurent les sentiments qu'elle exprime. Par exemple : où es-tu, Liese ?

Morte ?

Pourquoi ?

Parce que tu es née juive.

Pourquoi ?

Autre question à laquelle nul ne peut répondre.

Peut-être que j'ai honte parce qu'il est difficile de ne pas avoir honte quand on comprend que le simple fait d'être né peut vous valoir d'être tué.

Je me souviens de ce sentiment, la honte. Mais la honte est un sentiment d'homme libre. Et désormais, je suis moins qu'un homme. Je suis un Häftling[1]*, un bestiau chargé du fardeau de leur haine. Une bête que l'on a obligée à tout oublier sauf l'effort pour mettre un pied devant l'autre. Et quand elle n'y parvient pas, il faut faire l'effort pour enchaîner une respiration à la précédente – et survivre.*

Rester allongé ici sans rien faire a réveillé ce sentiment.

Je ne veux plus éprouver.

Cette honte – *honte d'être un* Häftling.

---

1. Prisonnier, détenu d'un camp.

23 septembre 1942 – Anne et Peter
jouent ensemble au grenier

Rien n'arrive. Tout arrive. Anne lit, bavarde et rend tout le monde fou. Margot travaille, nettoie, toujours douce et gentille. Maman fait la cuisine et flirte avec M. Frank (si, je l'ai remarqué, je n'aime pas beaucoup ça, mais elle est comme moi, elle s'ennuie à mourir). Papa ne pense qu'au repas suivant, répare tout ce qu'il peut, fume et raconte des blagues. Mme Frank raccommode nos affaires, félicite Margot et se fâche contre Anne. M. Frank lit, sourit et veille à la paix des ménages. Et le soir, parfois, nous écoutons la radio. J'ai horreur de ça. Ça me rappelle qu'à l'extérieur tout le monde se bat alors que je suis assis ici à écouter, impuissant.

Et chaque fois, c'est une longue discussion qui suit.

– Tu vois, dans quelques mois c'est fini !

– Penses-tu, ça ne finira jamais, on va tous mourir dans les camps !

En fait, la seule chose dont nous parlons c'est de ce que nous ressentons ce jour-là. Mais gare à qui oserait l'avouer ! Il serait taxé d'ennemi et tué sur-le-champ, explosant comme un avion.

Nous refusons de voir la vérité. Refusons de nous ranger à la raison. Nous persistons à croire que les Anglais vont débarquer, sans quoi... sans quoi nous ne serons plus ici pour témoigner. Voilà pourquoi... nous refusons et la raison et la vérité. Nous nous obstinons à croire... et c'est ainsi que la roue tourne. Encore et encore, dans les mêmes pièces, avec les mêmes gens. Dans la pénombre. La pénombre permanente, y compris en plein jour. J'ose à peine imaginer ce que ce sera en hiver, quand la lumière ne filtrera plus au grenier. Rien que l'idée m'effraie.

Un jour, Anne a fait irruption dans ma chambre en me demandant :

– Tu aimes bien changer de vêtements ?

J'ai hoché la tête. Et rougi. J'ai cru qu'elle voulait dire s'habiller pour sortir, mais pas du tout, elle voulait dire se déguiser, comme les enfants.

– Allez ! a-t-elle insisté, les yeux brillant comme plus jamais ne brillent ceux de personne, pas même Margot.

Je m'ennuyais, comme d'habitude. Car non seulement il ne se passe rien, mais il faudrait qu'on se réjouisse. Le fait est que nous sommes terrorisés à l'idée de ce qui pourrait nous arriver si nous n'avions pas l'Annexe. Voilà pourquoi, sans doute, je me revois descendant du grenier sur la pointe des pieds en retenant le bas d'une robe de maman entre le pouce et l'index et en priant pour ne pas tomber et avoir à appeler un médecin. Derrière moi suivait Anne avec un chapeau de son père et une moustache dessinée au crayon. Mon Dieu, si mon copain Hans m'avait vu ! J'ose à peine y penser. Tout à coup, Anne s'est précipitée dans la cuisine en hurlant :

– Haut les mains !

J'avoue que j'hésitais. Je me suis mis à transpirer.

– Viens ! m'a-t-elle appelé en sifflant entre ses dents.

Je suis entré dans la cuisine et j'ai vu maman qui me souriait. Inconsciemment, je tripotais ma jupe et penchais la tête de côté, comme elle.

Anne a pris un livre en toussant, imitant son père, avant de se lancer dans un grand laïus sur Descartes dans un hollandais épouvantable. (Nos parents parlent un mauvais hollandais qui ressemble à de l'allemand !) On aurait vraiment dit M. Frank. Quant à moi, j'imitais maman, je faisais semblant de comprendre, posant des questions toutes plus bêtes les unes que les autres, et j'acquiesçais gentiment. Peu à peu, je m'approchais d'Anne pour regarder son livre. À chaque réponse elle reculait d'un pas, mais j'avançais d'un autre. Elle m'observait de ses grands yeux, faussement paniquée (exactement comme son père !).

À un moment, j'étais tellement près d'elle, contre son cou, que j'ai senti son odeur. Le parfum du savon que nous utilisons tous, mêlé à quelque chose... qui n'appartient qu'à elle.

Elle, Anne.

Soudain, Margot a éclaté de rire et j'ai reculé. Nous avons fait une profonde révérence, retiré notre chapeau et filé. Nous étions littéralement pliés en deux de rire, à tel point que nous avons dû nous soutenir pour monter l'escalier du grenier.

– Ça au moins, ça remonte le moral ! s'est exclamée maman d'une voix enjouée. Je suis caricaturale à ce point-là ?

– Mais non, Auguste, tu es charmante ! a répondu M. Frank.

J'ai eu du mal à enlever la robe. Elle s'est coincée à mi-chemin, retournée, et ma tête perdue au milieu des plis.

– Retiens ta respiration, m'a lancé Anne en tirant dessus.

Nous nous sommes tous deux retrouvés par terre, riant de plus belle.

– Regarde ! Regarde là-haut ! s'est-elle écriée.

Une myriade d'étoiles scintillaient dans notre petit bout de ciel.

– Incroyable !

8 octobre 1942 – Miep a dû prendre une décision difficile

Miep était assise dans la cuisine, en larmes. Tout le monde l'observait. Notre vie est entre ses mains, ces mains dans lesquelles elle avait enfoui son visage. Elle s'est fait un devoir de nous sauver, tous, mais ce matin, elle a dû faire un choix – et c'est nous qu'elle a choisis. Autant nous lui en sommes reconnaissants, autant nous sommes tristes – et honteux. En tout cas, je le suis.

Voilà ce qui s'est passé.

La Gestapo avait abandonné une vieille femme devant la porte de la maison de Miep. La vieille dame a frappé de toutes ses forces jusqu'à ce que Miep lui ouvre, la suppliant de la cacher pour lui sauver la vie. Mais comment Miep aurait-elle pu? La police savait parfaitement où cette femme se trouvait. Si elle avait accepté de la cacher, soit ils l'auraient arrêtée, soit ils auraient fouillé son lieu de travail. Et sur qui seraient-ils tombés? Sur nous.

– Qu'est-ce qu'elle va devenir, la pauvre? sanglotait Miep.

Personne parmi nous ne pleurait. Est-ce parce que nous pensions tous la même chose – que la prochaine fois ça pourrait être notre tour? La prochaine fois… une prochaine fois. Il suffirait que quelqu'un frappe à la porte de façon différente. Personne n'a répondu à Miep. Impossible. Personne n'ose imaginer ce qui pourrait nous arriver. Heureusement, Miep, à qui rien n'échappe, a compris.

– Que je suis sotte, franchement! Après tout, ce n'est pas moi qui suis menacée.

Elle s'est redressée pour ajouter en regardant maman:

– Personne ne te trouvera jamais, Auguste, tu peux compter sur moi, parce que c'est toi qui fais la meilleure soupe de toute la Hollande!

– Pour la femme la plus généreuse de toute la Hollande ! a répondu maman en souriant.

C'est vrai. Miep et tous ses collègues de bureau courent un réel danger et risquent leur vie pour nous.

Elle était sur le point de s'en aller quand M. Frank a posé la main sur son épaule.

– Tu n'as rien à voir avec ce déchaînement de mal, Miep, au contraire, tu luttes contre lui. Nous t'en sommes profondément reconnaissants.

– Merci.

– C'est à nous de te remercier.

Elle était visiblement soulagée.

Il est comme ça, M. Frank.

Oui, il l'est. Ou il l'était.

Si j'étais croyant, je dirais qu'il portait Dieu en lui. Sauf que je ne le suis pas. Ou plus. M. Frank avait quelque chose de plus fort que Dieu, qu'ils ne pouvaient pas atteindre ni combattre ni gazer. Ni détruire – en tout cas pas chez lui. Il avait de l'espoir, et une conviction.

Que la plupart d'entre nous sommes bons.

Je suis content d'avoir contribué à ce qu'il reste en vie, au moins jusqu'à Auschwitz.

Jusqu'à ce que je…

Plus tard, le même jour

Après le déjeuner, je suis allé contempler le ciel au grenier.

Tant de questions me hantent encore. Pourquoi nous aident-ils – Miep, Bep, M. Kleiman, M. Kugler ? J'ai essayé de les interroger, mais chaque fois, ils me font signe de me taire comme à un gamin. Voilà tout ce qu'ils m'ont expliqué : les Hollandais haïssent les nazis et, s'il le faut, ils prendront les armes et se battront jusqu'à ce que tous les Pays-Bas soient vides et silencieux.

Amsterdam déserte, j'imagine : seuls les arbres le long des canaux, admirant leur reflet dans l'eau, les feuilles mortes à la dérive, les bateaux abandonnés. Les mouettes. Je prends un crayon et je dessine. Dessiner m'apaise.

J'entends un bruit de pas dans l'escalier. Vite, je cache mon croquis.

– Ça va ? me demande M. Frank.

– Pourquoi est-ce qu'ils continuent à nous protéger ? dis-je sans réfléchir.

M. Frank me regarde longuement avant de répondre :

– En partie parce que c'est nous qui leur versons leur salaire.

– Comment pouvez-vous être aussi terre à terre ?

– C'est une des raisons, Peter. Secondaire, certes, mais il ne faut pas l'oublier. Mais, surtout, parce qu'ils savent que ce qu'il se passe en ce moment est grave, et que, en aucun cas ils ne veulent y participer. Plus que ça même, ils voudraient arrêter le mal.

– Pourtant ils ne sont pas concernés, ils ne sont pas juifs, non ?

– Il ne s'agit pas seulement des Juifs, Peter. Il s'agit de tous ceux que les nazis haïssent. Les gens qui nous aident sont convaincus qu'ils sont concernés eux aussi, voilà pourquoi ils se comportent ainsi. Ce qui nous arrive à nous touche tout le monde, même si nous sommes les premiers, les derniers et les principaux accusés. Tu ne peux pas ne pas réagir alors que tes voisins se font tuer parce qu'ils sont différents.

– Mais nous ne faisons rien. Pourquoi ne pas se battre ?

– Nous faisons ce que nous avons à faire, Peter. Comme eux, de leur côté. Tu crois que le poussin s'aventure hors de son nid pendant que sa mère se bat contre un faucon crécerelle ?

– Comment ?

Il ne répond pas. Il contemple le ciel, au-delà de la ligne des toits à l'horizon, jusqu'à la mer.

– Ils sont animés par la haine, Peter ! Une haine si forte qu'ils la canalisent contre nous et contre tout ce qui est différent, et ensuite ils essaient de nous tuer. Ils veulent nous éradiquer, tous, pays par pays, ville par ville, comme la peste. Mais un jour, peu importe quand, peut-être après notre disparition, il faudra qu'ils se regardent dans la glace – et leur haine sera toujours là. Que se passera-t-il ? Je me le demande. En tout cas, d'ici là…

Il reprend sa respiration et ajoute :

– Tout ça n'est pas nouveau. Notre devoir n'est pas de nous défendre, pas maintenant. Notre devoir est de survivre. Surtout les plus jeunes. Surtout toi. Sinon, comment le monde saura-t-il ce qu'il s'est passé ? Quel est notre avenir si notre jeunesse disparaît ?

Jamais je ne l'ai entendu se lancer dans un tel discours. Je recule ; il me fait un peu peur.

– Rester en vie. Voilà notre devoir, Peter. D'autres se battent pour nous à l'extérieur.

– Des Juifs ?

– Bien sûr. Tu pensais qu'aucun d'entre nous ne résistait?

– Je ne sais pas.

– D'accord, mais réfléchis, il y a toutes les chances pour qu'un certain nombre de Juifs résistent, tu ne penses pas?

– Peut-être.

– Le fait est qu'on ne peut pas savoir, Peter. On ne peut pas savoir, mais on peut croire.

– Croire à quoi? Que Dieu va nous sauver?

– Oui, ce serait un premier secours, mais la foi aveugle suffit-elle? N'y a-t-il rien que nous ne puissions faire, même enfermés ici?

– Je ne sais pas.

Je suis intimidé. Les Frank sont tellement intelligents que, parfois, j'ai du mal comprendre ce qu'ils veulent dire.

– Il faut essayer, Peter. Essayer et croire que notre amour est plus fort que leur haine.

– Vous voudriez que je les aime! Mais vous ne pouvez pas savoir à quel point je les déteste. Si je pouvais, je...

– Arrête, dit-il en levant la main, bien sûr que je ne te demande pas de les aimer. Ce qu'ils sont en train de faire est... est... mal. Mais à partir du moment où tu les hais toi aussi, crois-tu que tu vaux mieux qu'eux?

– Votre raisonnement ne me va pas. Les gens responsables de tout ce mal doivent payer. Mourir. Si je pouvais, je... je me battrais contre eux plutôt que d'être coincé ici...

Soudain, je m'interromps. Je ne voudrais pas blesser M. Frank.

– À ton âge, dit-il en souriant, j'aurais préféré me battre, moi aussi. Il faut savoir se défendre. C'est la seule alternative qu'ils nous laissent.

– Vous venez de me dire qu'il fallait les aimer!

– Non. Je t'ai dit qu'il ne faut pas se laisser contaminer par leur haine.

– Qu'ils crèvent en enfer !

– Œil pour œil, dent pour dent.

– Exactement.

– Et le jour où nous serons tous aveugles et édentés, que se passera-t-il ?

– Aucune idée.

Parfois je le hais, M. Frank.

– Il est beaucoup plus facile de les haïr que d'essayer de comprendre pourquoi ils nous en veulent tant, tu ne crois pas ?

Il a raison.

– Je me demande de quel secret terrifiant ils cherchent à se libérer en nous vouant une haine aussi féroce, ajoute-t-il à mi-voix. Quel secret terrifiant...

Il se lève, sort du grenier en marmonnant dans sa barbe, et s'arrête en haut de l'escalier avant de se retourner en souriant et ajoute :

– N'oublie pas ton devoir d'anglais, Peter !

Il est comme ça, M. Frank !

Otto Frank. Même à Auschwitz il est resté lui-même. « Ils ne pourront jamais briser nos rêves, Peter », me disait-il.

Il avait tort, car ici nous n'avons qu'un rêve : manger. Nous grinçons des dents en imaginant les aliments dans lesquels nous pourrons mordre. Les aliments qui permettront à notre corps de se maintenir en vie.

Quant à moi j'ai une idée fixe : des petits pois sauvages, très verts et très frais, et légèrement croquants. J'imagine maman les pocher dans un bouillon de poulet avec quelques feuilles de salade. La scène se passe au printemps, elle apporte à table une immense soupière fumante de bouillon aux petits pois – beaucoup plus que je ne saurais en manger. J'approche la cuillère de mes lèvres. Je hume le parfum, j'admire la couleur, j'ai l'eau à la bouche en imaginant le délice qui m'attend. J'approche la cuillère, j'ouvre la bouche et je la referme sur... rien.

Mon voisin de paillasse me plante les genoux dans le dos... ses dents grincent... mon rêve remplit la pièce... se mêle au grondement sans fin de nos rêves à tous, hurlant de désespoir, cherchant en vain à trouver un sens au cours des choses, n'importe quel sens... Non, même nos rêves ne nous appartiennent pas.

Pas ici.

13 octobre 1942 – Peter rêve à Liese

Je rêve à Liese. Elle est nue. Si belle que j'en ai mal. De longues colonnes de gens attendent, nus, les mains plaquées sur leur entrejambe. Tête baissée. Honteux.

Pas Liese.

Elle est mince, sublime. Contrairement aux autres, elle ne regarde pas par terre. Elle admire le ciel au-dessus d'elle. Elle ne se protège pas avec les mains, elle les tient simplement sur le côté. Médusé, je la regarde les lever lentement. Ses bras montent, formant un arc parfait. Ses seins se soulèvent. Ils sont magnifiques. J'entends de la musique quand, soudain, elle se met à danser. Les gens lèvent la tête en silence et la regardent sortir de la file.

– Halte-là ! hurle un gardien.

Elle ne s'arrête pas. Elle suit la cadence d'une mélodie que nous sommes les seuls à entendre. En extase, le visage concentré, son long dos très droit tandis qu'elle oscille. Elle fait un pas, soulève une jambe nue, superbe, très haut, et pivote. Elle avance à pas légers, lentement. Chaloupant et tournoyant au rythme de la musique silencieuse.

Soudain, elle se fige. Face au gardien.

Elle baisse les bras. Transpire. Halète. Sourit à l'homme. Je découvre qu'il a le même âge qu'elle. Mon âge. Il louche sur ses seins.

Tout n'est que silence et regards échangés.

Révérence. Les genoux pliés, les bras dans le dos, les seins offerts comme un cadeau quand, tout à coup, elle se précipite sur le soldat, prend le pistolet dans son ceinturon et tire. Puis le retourne contre sa tempe, mais elle n'a pas le temps de tirer un second coup que, déjà, son corps se met à danser sous une pluie de balles.

– Liese! Non!

Mon hurlement me réveille.

Je suis allongé dans le noir.

J'attends.

Je respire.

Jusqu'à l'aube j'entendrai la cloche de Westertoren sonner chaque quart d'heure.

En pensant à la haine.

14 octobre 1942 – Peter est hanté
par son rêve

Ce matin, je me suis réveillé avec une douleur au ventre, effrayé par l'idée qu'elle soit déjà morte.

Je me suis obligé à sortir de mon lit.

Les choses les plus évidentes me paraissaient étranges. J'ai rempli mes corvées de la journée comme si j'étais dédoublé, étonné de me voir poursuivre avec une telle docilité.

– C'est bien, Peter !

– Merci.

– Tu n'as plus d'appétit ? Allez, mange ! Tu n'aimes pas ?

– C'est gentil, mais je n'ai plus faim.

Cette nuit-là, je suis resté éveillé, j'avais peur des rêves qui devaient m'attendre, tapis dans les murs.

Souvent, au cœur de la nuit, je monte sur la pointe des pieds au grenier et là, dans le noir, je guette les bombes, comme si ma présence pouvait les empêcher de tomber sur nous. Parfois, Muschi me rejoint et se blottit contre ma poitrine en ronronnant. Nous contemplons les étoiles à travers la lucarne.

La nuit dernière, Anne a déposé une pomme sur mon lit. Je l'ai emportée pour la manger au grenier. Chaque fois que je mordais dedans, ça résonnait dans l'obscurité. Elle était croquante, froide et sucrée. Jamais je n'aurais pensé qu'une pomme pouvait avoir un effet aussi miraculeux.

Je l'ai savourée en admirant les constellations dans notre petit bout de ciel. Jusqu'au petit matin où je suis descendu discrètement et me suis écroulé de sommeil.

J'ai raté le petit déjeuner.

– Alors, paresseux, tu ne me remercies pas pour la pomme ! s'écrie Anne.

– Fiche-moi la paix !

Mais elle insiste, assise au bout de mon lit.

– Lève-toi ! Lève-toi ! Lève-toi ! Il faut qu'on aille se peser.

Je grogne. Me retourne dans mon lit. Essaie de la faire disparaître de ma vue. J'ai mal à la tête. Aux oreilles. Partout. Mon corps souffre d'avoir trop rêvé.

– *Peter Piper picked a peck of Opekta pepper.* Tu as vu les progrès que je fais en anglais ?

Tout à coup, elle essaie de me chatouiller sous les couvertures. Vite, je me redresse. J'ai horreur qu'on me tripote. Elle éclate de rire.

– Peter, chuchote-t-elle en changeant soudain de ton. Tu es tout habillé !

En effet. Je n'ai pas eu le courage de me changer. Heureusement, elle le garde pour elle, ce que je trouve bien. Comme chaque semaine, on nous pèse. J'ai perdu quatre kilos en une semaine. Quel choc ! Comment est-ce possible ?

– Vous avez vu ? lance maman. Pas étonnant que mon pauvre garçon soit incapable de faire quoi que ce soit, à part dormir. Il a besoin de manger plus.

– Et encore, on s'en sort bien, Auguste, se justifie Mme Frank.

– Je sais, on a de la chance, je ne voulais pas…, bredouille maman.

Peu après, elle marmonne en passant devant moi :

– Je suis sûre que la balance se trompe, je ne vois pas comment je pourrais peser autant. Presque autant qu'Edith !

Je souris.

– J'ai pris presque cinq kilos en trois mois ! s'exclame Anne avec fierté.

Quelle menteuse ! Puis je l'observe et je comprends. Oui, elle a un peu grossi. Sa silhouette est en train de changer.

29 octobre 1942 – La maison de la famille van Pels a été « nettoyée »

Papa vient d'entrer dans ma chambre.

– D'accord! D'accord! Je me lève, dans deux minutes je suis prêt.

Il n'a pas l'air fâché. Il s'assied au bord de mon lit en tendant la main pour ne pas perdre l'équilibre. Il a l'air vieux. Épuisé. Un peu effrayant.

– Qu'est-ce qu'il y a?

– Notre appartement. Ils ont tout emporté.

– Comment ça?

– L'appartement a été vidé, Peter. Il ne reste plus rien. Toutes nos affaires…

– Oh, non! Non, papa!

– Disparu. Tout. Une vie entière.

Je revois notre appartement, notre maison. Les pièces valsent devant mes yeux.

– Bon, reprend-il après un long silence, au moins nous sommes à l'abri ici.

– Je suis désolé.

Désolé que tout ce que nous avons amassé ensemble, tout ce que nous avons fabriqué ait disparu – comme ça. Nous n'avons plus rien que nous pourrions espérer retrouver.

– C'est pas toi qui aurais tout volé? demande-t-il.

Je secoue la tête et il sourit, ou tente de sourire.

– Je ne suis pas sûr d'avoir le courage de l'annoncer à ta mère, ajoute-t-il tout bas.

Toute la journée, je pense à nos affaires, à des babioles que j'avais oubliées, le bateau miniature dans une bouteille, par exemple. Je revois parfaitement l'endroit où il était : sur l'étagère dans le vestibule. Je sursaute en songeant qu'il a été emporté.

Je ne sais où.

Notre appartement est vide – plus rien ne permet à personne de se rappeler que nous y avons vécu.

Papa m'a fait promettre de ne rien dire à maman. C'est idiot. Pourquoi faudrait-il qu'Anne soit au courant (et je sais qu'elle l'est) et pas elle ?

– Je compatis, m'a avoué Anne. Mais au fond, les objets comptent-ils tant que ça ? Ta famille est vivante et on peut avoir confiance en Dieu.

Je l'ai regardée. Sans répondre. Je ne pouvais pas, j'étais hors de moi. Pour une fois, elle s'est tue et elle est sortie. J'ai tout dit à maman. Ai-je bien fait ? Je ne sais plus et ça m'est égal. Il fallait qu'elle sache.

C'était après le dîner, elle était en train de faire la vaisselle.

– Maman ?

– Peter !

Oh, comme ce fut difficile de lui dire la vérité en voyant son beau regard et son sourire si doux ! Elle était tellement contente que je sois à ses côtés.

– Maman, ils ont vidé notre appartement.

Au début, elle a simplement fermé les yeux. Puis elle a posé les deux mains sur le plan en granit en prenant une longue inspiration. Elle a grincé des dents et agrippé le robinet en cuivre des deux mains.

– Ne pleure pas, ne pleure pas, murmurait-elle.

Papa est arrivé à ce moment-là et l'a prise dans ses bras.

– Kerli, a-t-elle chuchoté, notre maison, notre…

– Gusti…

– S'il te plaît, ne me dis pas que nous avons de la chance… ne me… je ne peux plus…

– Non, je te promets…

– Tout ?

Il a hoché la tête. Elle s'est affaissée.

– Papa, l'ai-je appelé à mi-voix, vous voulez aller vous reposer sur mon lit ?

Et tous deux sont allés dans ma chambre.

J'ai soigneusement fermé la porte. À présent, ils sont allongés, main dans la main. C'est tout ce qu'il nous reste : quatre pièces prêtées par les Frank. Quatre pièces et nous-mêmes.

8 novembre 1942 – Peter a seize ans

Nous sommes le 8 novembre. J'ai seize ans.

– Lève-toi ! Lève-toi, Peter ! C'est le grand jour, non ? s'écrie Anne en grimpant l'escalier.

Papa et maman se sont débrouillés comme des chefs. Ils m'ont déniché un jeu de société, un rasoir (alors que je n'ai pas grand-chose à raser), un briquet et deux cigarettes. Quand je pense qu'avant j'avais une immense pile de cadeaux et que je pouvais choisir le salon de thé où aller goûter ! À présent, ces quelques bricoles représentent un effort proche du miracle.

– Merci ! dis-je avec un grand sourire à maman.

La nuit dernière, elle est venue dans ma chambre. Elle s'est assise sur mon lit et m'a pris la main. Puis elle est ressortie. Il est des circonstances où il vaut mieux rester silencieux.

Mais ce matin, c'est le jour de mon anniversaire et Anne trépigne dans la cuisine comme si c'était le plus beau jour de l'année, alors il faut que quelqu'un parle, même si personne n'a le cœur à se réjouir.

– Merveilleux, des cigarettes ! je m'exclame en faisant semblant de fumer.

Je parade autour de la pièce, une main dans le dos et j'ajoute en allemand :

– *Ach so*, alors comme ça vous vous cachiez, *yah* ? Vous êtes allemands, c'est ça ? Allemands, j'ai bien entendu ? Vous croyez vraiment qu'un Juif peut être allemand ?

– Bien sûr que non ! répond Anne, jouant le jeu avec passion. Nous ne sommes plus allemands, du reste. Désormais, nous sommes hollandais.

– Que nenni ! Vous n'êtes ni allemands ni hollandais. Vous êtes juifs, un point c'est tout.

Tous, sauf moi, s'esclaffent. Je ne sais pas ce qui m'a pris de me lancer dans ce numéro.

– Ah ! Il n'y a rien de tel qu'une bonne cigarette à jeun ! dis-je en m'approchant de la fenêtre. Merci, papa.

– Je suis…, bredouille maman, les larmes aux yeux. Je suis tellement…

– Oui, oui…

Je l'interromps de peur qu'elle n'avoue. Hélas, elle continue, c'est plus fort qu'elle.

– Je suis tellement reconnaissante que tu sois ici avec nous.

L'amour peut être aussi difficile à supporter et aussi douloureux que la haine.

Je me demande ce que M. Frank aurait à en dire du reste !

Anne m'a harcelé toute la journée.

– Alors, Peter van Pels, quel effet ça fait d'avoir seize ans ? m'a-t-elle demandé à un moment en me tendant un micro imaginaire. Ne t'inquiète pas, je peux te citer sans mentionner ton nom dans mon journal. Alors n'aie pas peur de parler librement, personne ne saura jamais que c'est toi !

Peu après, j'étais en train de monter l'escalier du grenier avec un grand sac de haricots sur l'épaule quand, soudain, je me suis retourné et le sac a explosé. Les haricots ont dévalé les marches en rebondissant avec un fracas insupportable ! Vite, elle a laissé tomber son micro pour se protéger la tête de l'avalanche. Enfin, j'avais trouvé un moyen pour qu'elle se taise ! Une fois l'avalanche finie, elle a levé les yeux, sous le choc. On aurait dit un poussin risquant la tête hors de sa coquille. Quelques secondes de silence ont suivi, comme toujours après un tel vacarme.

– Seigneur ! s'est exclamée maman en pointant le bout de son nez à la porte. Heureusement qu'il n'y avait pas de policier sous les fenêtres ! Allez, ramassez-moi ça tous les deux, anniversaire ou pas.

Nous nous sommes exécutés sur-le-champ.

– Tu ressemblais à un petit poussin.

– Et toi, à un bagnard !

– Quoi ? Pas du tout.

– Si, je te promets, insista Anne en éclatant de rire. On aurait dit que tu venais d'être pris en flagrant délit pour un crime vraiment grave.

J'ai piqué un fou rire moi aussi, le plus discrètement possible, mais nous étions tellement nerveux qu'il a fallu nous asseoir.

Alors, si je comprends bien, mademoiselle parle de moi dans son journal ! Je serais curieux de savoir ce qu'elle raconte.

Un peu plus tard dans la journée, tout le monde s'est réuni pour écouter la radio.

– Peter, m'a appelé papa à mi-voix, tu as entendu ? Le plus beau cadeau d'anniversaire qui soit ? Les Alliés ont débarqué en Afrique du Nord.

La voix de Churchill résonnait dans le poste :

– Ce n'est pas la fin. Ce n'est même pas le début de la fin, mais c'est peut-être la fin du début.

J'ai jeté un coup d'œil à Anne, qui souriait et remuait les lèvres en répétant ce qu'elle venait d'entendre. Dans les jours qui ont suivi, elle n'a pas arrêté de dire et redire ces paroles, savourant chaque mot en déclarant que la formule était parfaite.

– Ce n'est pas la fin. Ce n'est même pas le début de la fin, mais c'est peut-être la fin du début. Tu as compris, Peter ? me demande-t-elle pour la énième fois.

– Ça veut dire que c'est bientôt fini ?

Peu importe pourquoi, tout le monde éclate de rire.

Des trains. Un quai.

Tel était le début de notre fin.

Les sélectionnés.

Difficile de croire qu'il y eut jamais un avant.

Ou qu'il pourrait y avoir un après.

Quelqu'un a-t-il survécu ?

Quelqu'un écoute-t-il ?

Les corps autour de moi, pourtant déjà morts, émettent encore des sons, soupirent.

J'attends l'ordre.

Mais il ne vient pas.

Wstawać !

Debout !

Le mot qui devrait me faire bouger – lever – et poursuivre mon agonie.

16 novembre 1942 – Une huitième personne arrive dans l'Annexe

La semaine dernière M. Frank m'a annoncé l'arrivée d'une nouvelle personne dans l'Annexe. Non seulement il ne m'a pas demandé mon avis, mais on ne parle plus que de ça.

– C'est une bonne chose, a déclaré Anne. En plus ça m'est égal de partager ma chambre. C'est vrai, qu'est-ce que ça peut faire du moment qu'on peut sauver une personne de plus ?

Je l'ai fusillée du regard. L'idée qu'il y ait un nouvel occupant, le docteur Pfeffer, dentiste, me fait horreur. Certes il est très aimable, et la femme avec qui il vit, Lotte[1], est adorable. Mais quand même, une personne supplémentaire dans la cuisine, dans la salle de bains, dans le salon, et ainsi de suite...

– Ça va être difficile, ont confirmé papa et maman, mais c'est bien.

– Anne a raison, a renchéri papa.

D'accord, mais ce n'est pas ce qu'il a dit quand les Frank sont partis se coucher.

– Margot partagera sa chambre avec nous pour que ça vous gêne le moins possible, nous a promis Mme Frank.

J'ai eu honte. Ils n'ont plus la moindre intimité, tandis que nous, surtout moi, oui. Je pouvais d'autant moins rouspéter. Nous n'avons pas le droit. Nous ne sommes pas chez nous. J'avais les yeux rivés sur mes genoux de peur que quelqu'un ne lise dans mes pensées.

J'ai toujours cru que j'aimais bien M. Pfeffer, mais je me trompais. Depuis qu'il est dans l'Annexe, c'est un autre. Il est grand, son visage est bouffi, et il a une fossette sur le menton, qui remue quand il parle. Le pire, c'est qu'il estime qu'il a

---

1. Ils n'étaient pas mariés car elle était catholique et n'avait pas le droit d'épouser un juif.

toujours raison. Il n'arrête pas de parler de sa chère Lotte. Heureusement qu'elle n'est pas juive sinon il aurait fallu qu'on trouve de la place pour elle ! Quoique, je l'ai toujours préférée à lui.

– Tu verras, le jour où tu auras une rage de dents, tu l'apprécieras, m'a lancé un jour M. Frank.

Tu parles !

Le docteur Pfeffer a gardé des traces de la vie hors de l'Annexe. Il ne se déplace pas comme nous. On a l'impression qu'il se sent trop grand et bruyant. Il prend trop de place. Il plisse tout le temps les yeux comme s'il n'y avait jamais assez de lumière, et il se penche vers nous comme pour nous voir et nous entendre mieux.

Il a aussi donné des nouvelles que je refuse d'entendre mais que je peux difficilement ignorer. Dehors, l'atmosphère est exécrable : ils raflent les Juifs et ils nous prennent dans leurs filets comme du poisson. Le Sud de la ville, là où nous vivions, a été encerclé afin que personne ne puisse s'échapper. Ils inspectent toutes les maisons, une par une. Fouillent. Interrogent. Cherchent au cas où quelqu'un se cacherait.

– Mais où nous emmènent-ils tous ? a demandé papa.

– Vous n'avez pas entendu les rumeurs qui circulent ?

Soudain, j'ai eu envie de lui flanquer mon poing dans la figure. On aurait dit que ça lui faisait plaisir. Comme s'il était ravi de nous annoncer les nouvelles les plus fraîches.

– Il y a un camp du côté de Westerbork. Ils rasent la tête de tout le monde. Il paraît qu'ils ne font que nous déplacer. Qu'ils nous envoient dans des camps de travail… on dit tout et n'importe quoi. Comment savoir la vérité ?

Silence.

– Combien de temps va-t-il falloir qu'on attende ? l'a interrogé maman à mi-voix.

– Nous ne sommes pas les seules victimes. Tous les Hollandais sont menacés. Chaque fois qu'ils découvrent un acte de résistance, ils abattent quelqu'un. Peu importe qui. Un pauvre innocent rentre tranquillement chez lui, deux secondes plus tard il se retrouve dos au mur – et mort.

Pfeffer dodelinait de la tête. Je caressais Muschi. Les parents ont continué à l'interroger, encore et encore, persuadés que s'ils arrivaient à comprendre vraiment, tout aurait un sens.

Margot les regardait fixement en soupirant.

Anne était livide, tremblante, jusqu'au moment où elle s'est levée et est sortie. Muschi a bondi de mes genoux pour la suivre. Peu après, j'ai suivi moi aussi.

Elle était debout près de la fenêtre du bureau de devant, observant la rue à travers l'interstice étroit entre le rideau qui est censé nous isoler et la vitre. J'ai regardé le petit segment de rue par-dessus son épaule. C'est fou tout ce que l'on voit à travers une fente aussi réduite. Il faisait nuit et la lumière des réverbères se réfléchissait sur l'eau du canal. Une longue colonne de gens est apparue dans la rue – une file de Juifs. Ils avançaient d'un pas lourd, surveillés par une foule de gardiens. À la lueur du crépuscule, ils ressemblaient à des ombres. Curieusement volumineuses.

– Je parie qu'ils portent tous leurs vêtements sur eux, m'a chuchoté Anne, les larmes aux yeux.

J'avais l'impression qu'en tendant la main j'aurais pu les toucher. Anne et moi, nous étions figés, paniqués à l'idée de bouger, que quiconque se retourne et aperçoive un mouvement derrière les fenêtres sombres.

Soudain un bébé a crié, une femme s'est arrêtée. Elle portait une valise d'une main et son enfant de l'autre. Elle avait du mal à avancer avec les deux. Un gardien lui a hurlé dessus en la brutalisant. Elle a lâché la valise et agrippé son enfant.

Ils ont disparu et un profond silence s'est abattu sur la rue.

Il ne restait que la valise, renversée. Le souffle d'Anne faisait de la buée sur la vitre.

Nous étions sans voix.

Un gamin en haillons, d'une extrême maigreur, a surgi de l'ombre. Il a ouvert la valise et sorti des vêtements et des bougies. Bientôt, une foule d'enfants muets, venus de nulle part, s'est précipitée en se battant autour de la valise. Quelques secondes plus tard, plus rien, la rue était vide. La valise gisait grande ouverte. Un homme est sorti d'une péniche et monté sur la chaussée. Anne a brusquement reculé, heurtant ma poitrine. On aurait dit que l'homme était à deux pas. Je l'ai tenue dans mes bras quelques instants. Elle tremblait de tout son corps.

– Pardon, a-t-elle murmuré.

Nouveau coup d'œil par la fenêtre, la valise avait disparu. Seul le réverbère brillait dans la rue déserte.

– Sales gosses des rues ! s'est exclamée Anne, mais ses joues brillaient de larmes, dont deux luisaient comme deux minuscules bougies.

Je n'ai rien répondu et elle a couru se réfugier au grenier. Je sentais encore sa présence fugace entre mes bras.

Muschi s'enroulait autour de mes jambes.

J'observais l'éclat de la rue morte.

Toute trace de leur passage s'était envolée.

Seule demeure la mémoire.

La mienne.

J'ai peur.

Peur d'oublier.

Cette nuit-là, j'ai rêvé que j'avais quelque chose entre les mains. Que je ne pouvais pas regarder. La surface picotait, comme la peau d'un cochon ; en même temps, elle était douce et arrondie. Je berçais cette espèce de boule dans mes bras. Je

la serrais fort, comme un bébé. Instinctivement je la proté-
geais. La chérissais. Surtout qu'elle ne tombe pas. Jamais je ne
l'abandonnerais. Elle était lourde, si lourde.

Soudain, j'ai baissé les yeux.

Et croisé le regard de Liese.

Je tenais son crâne rasé entre mes mains.

Tels sont mes souvenirs. Ils affleurent malgré moi.

Les croirez-vous si je vous les expose ainsi ?

Vous qui demeurez dehors ?

M'écoutez-vous ?

Dans l'Annexe, souvent je me réveillais en plein rêve, mais dans les camps les rêves ne finissent jamais. Je me réveille et le cauchemar continue.

J'ai du mal à y croire moi-même, alors comment pourriez-vous y croire ?

Y croyez-vous, d'ailleurs ?

Vous pensez que vous remarquerez mon absence ? Que les rues seront étrangement vides ?

Ach ! Elle a pris la bonne décision, cette femme. Elle n'avait pas besoin de valise là où elle allait. Elle n'avait pas non plus besoin de son enfant.

18 novembre 1942 – Peter pense à Dieu

Le matin, il fait sombre, et le soir, encore plus sombre. Nous nous couchons tôt. Nous nous réveillons tard. Il arrive qu'il y ait du givre à l'intérieur de la vitre. Nous grelottons. Nous portons tous nos vêtements les uns par-dessus les autres. Anne et Margot enfilent même leur chemise de nuit par-dessus l'ensemble. Nous faisons ce que nous pouvons pour tuer le temps. Nous attendons.

Attendons des nouvelles.

Attendons que la guerre s'achève.

Tiendrons-nous jusqu'au bout ?

Courrons-nous de nouveau un jour le long de Prinsengracht ? Je préfère ne pas y penser. Je m'invente des activités. Par exemple, dessiner le plan des rues du quartier. J'ai même indiqué la route qui ramène à la Merwedeplein, là où nous habitions, avec tous les repères dont je me souviens. Et le tracé du tramway qui va de la Merwedeplein à Zaandvoort.

Le soir, assis au grenier, souvent je m'imagine que je suis un avion. J'admire le réseau de rues qui s'étend autour de moi. J'imagine les pharmacies et les cafés. Parfois, avec Anne et Margot, on essaie de se rappeler tous les magasins d'une certaine rue, ou tous les arrêts sur tel ou tel trajet de tramway.

– Vous ne trouvez pas qu'on a très peu voyagé ? fait remarquer Anne.

– Souviens-toi, tu as été longtemps chez Grand-mère à Aachen, en Allemagne, répond sa sœur.

– Oui, mais la Hollande et l'Allemagne, c'est pas vraiment ce qu'on appelle le monde !

– Où aimerais-tu aller, Peter ? m'interroge Margot.

– Dans un pays où il fait chaud, avec du sable pour moi, et pour Muschi une forêt.

– Il fait tellement froid, renchérit Anne.

– On gèle ! nous exclamons-nous en chœur.

– Moi, j'irais en Amérique, lance Margot.

– Pourquoi ? réplique Anne en gloussant.

– Parce que j'ai envie de découvrir un nouveau continent, un pays sans la moindre trace de tout ce qui est en train de se passer ici.

– Vous êtes complètement idiots ! s'écrie Anne. Je n'ai aucune envie de partir d'ici, moi. Je veux rester en Hollande toute ma vie !

– Et épouser M. Ku-gler ! ajoute Margot, moqueuse.

– Mar-got !

– An-ne ! réplique sa sœur en l'imitant.

– J'ai compris, se défend Anne.

Là-dessus, je me redresse pour laisser les deux sœurs qui se chamaillent. C'est curieux. Elles sont énervées, mais concentrées et silencieuses. Elles se battent à coups de polochon mais sans un bruit. Vite, j'attrape les lunettes de Margot avant qu'elles tombent. Soudain Anne se fige et lance :

– Elles sont cassées ?

– Non.

– Dieu merci. Pardon.

– Pouce ?

– Pouce.

Et toutes deux s'écroulent en s'esclaffant.

– M. Kugler ! reprend Anne. Quelle idée ! Faudrait vraiment être désespérée.

Étrangement, elles me dévisagent. Je rends ses lunettes à Margot et je sors. Je les entends ricaner jusqu'à ce que j'arrive dans la cuisine.

– Ça fait plaisir de te voir sourire ! s'exclame maman.

Papa lui fait signe qu'il voudrait me parler. Je quitte la pièce et monte dans ma chambre. Quelques secondes plus tard, il me rejoint.

— Tu pourrais fabriquer un chandelier avec les neuf bougies, Peter ? me demande-t-il.

— Les Frank en ont sûrement un.

J'essaie de ne pas penser à la *menorah* que nous avions à la maison, avec ses gros bougeoirs en argent que nous allumions chaque vendredi soir.

— Tu as pensé à maman ? me répond-il. Tu crois qu'elle aimerait que les Frank nous prêtent leur *menorah* ? Tu crois que ça lui ferait plaisir ?

Je me sens penaud.

— Alors ?

— On pourrait peut-être demander à Miep de...

— C'est ça ! Tu peux me dire dans quel atelier exactement Miep pourrait aller pour commander une *menorah* pour des amis juifs ?

Je lâche un long soupir et papa vient s'asseoir à côté de moi sur mon lit.

— Pardon, se reprend papa. Je pourrais en fabriquer une, mais tu imagines le bonheur de maman si c'était toi ?

— Je veux bien, mais je t'interdis de dire que c'est moi.

— Si on nous demande, je répondrai que c'est moi, promis. Merci, Peter.

— Je m'installerai dans la réserve ou au grenier pour qu'elle ne voie rien.

— Qu'est-ce que vous êtes en train de mijoter ? s'écrie soudain maman en pointant le bout de son nez.

— Rien qui soit aussi savoureux que toi ! réplique papa.

— Chut ! Les Frank pourraient nous entendre.

— Et alors ? Un homme n'a pas le droit de trouver sa femme appétissante ?

– Arrêtez ! je m'exclame.

– Je ne crois pas qu'il y aurait beaucoup à manger ces jours-ci, répond maman. On maigrit tous à vue d'œil.

Un peu plus tard, j'ai trouvé une feuille de papier et commencé à dessiner un chandelier pour Hanoukka, avec les neuf bougeoirs.

M. Voskuyl, le père de Bep, m'a trouvé du bois. J'aurais aimé la tailler dans un seul morceau mais ça n'est pas possible.

J'aime bien y travailler le soir, en bas, dans la réserve ou l'entrepôt. J'adore l'odeur du bois. Et être seul. Le chat de l'entrepôt, Moffi, fait une petite apparition çà et là et se tapit à côté de moi. Ça me fait du bien d'utiliser mes mains. Je devine la forme dans le bois, la forme qu'il prendra si je fais les bonnes entailles aux bons endroits. Je contemple le bois, ses veines. J'essaie de deviner où il est prêt à me céder et où il résistera. La forme naît peu à peu sous mes mains. Huit bougies sur les côtés et une au centre, plus haute. Neuf flammes – une pour chaque personne de l'Annexe, plus une pour le temple.

Chaque fois que j'ai fini de tailler un bougeoir, je fais une encoche dans le bois et j'y grave un symbole qui correspond à chacun. Pour Anne, c'est un œil, car rien ne lui échappe. Papa, un sourire, et maman, une main. Pour M. Frank, je grave un livre, là aussi c'est facile. Pour Margot, j'ai plus de mal à trouver. Elle va et vient dans mon esprit et il faut que j'attende d'avoir une idée. Entre-temps, Mme Frank a eu droit à une aiguille. Car non seulement elle a l'esprit incisif, mais elle raccommode les affaires de tout le monde. Pfeffer? Évident: un citron bien acide! Et finalement, Margot, une vague. Pourquoi? Je n'en ai aucune idée. Quant à moi, j'ai fini par graver une kippa. Un Juif. Si c'est ce que je suis aux yeux du monde, alors que cela soit!

Et le meilleur possible.

Quand j'aurai fini de graver tous les symboles, j'allumerai les bougies et je réciterai le Kaddish pour les morts. Je prierai aussi pour nous, les vivants. Pour qu'advienne un miracle, comme celui du temple. Les mots me reviennent en mémoire à mesure que je finis de sculpter; je récite à mi-voix les prières de Hanoukka. Jusqu'ici, je ne comprenais pas pourquoi il fallait que je les apprenne par cœur. À présent, je sais – c'est pour qu'elles m'accompagnent en toutes circonstances. Mes mains suivent le rythme des versets, gravant les mots dans le bois en rythme. Enfin j'ai l'impression d'être utile.

« Tu T'es alors levé pour eux dans leur détresse, Tu as pris leur défense, jugé leur procès, vengé leur vengeance, livré les forts aux mains des faibles, les majoritaires aux mains des minoritaires, les impurs aux mains des purs, les méchants aux mains des justes, les orgueilleux aux mains de ceux qui s'occupent de Ta Torah. [...] et pour ton peuple, Tu as réalisé salut et délivrance comme en ce jour. »

Je répète tout bas les dernières paroles:

– Et pour ton peuple, Tu as réalisé salut et délivrance comme en ce jour.

S'il te plaît, Dieu. Délivre-nous.

Moi et Liese, et tous les Juifs, dans le monde entier. Les faibles et les invalides et tous ceux à qui ils vouent tant de haine. S'il te plaît, sauve-nous.

J'ai mis du temps à finir le chandelier. Moffi et moi, nous sommes devenus amis. Il m'observe longuement et dès que j'arrête de travailler il s'approche, tend la patte et caresse le bois. Délicatement.

– Elle te plaît ? Tu me donnerais combien en échange ?

Il me jette un regard intrigué, lève la tête et se détourne.

– Ah, c'est ça ! tu es trop bien pour parler d'argent !

Il ne daigne pas me répondre, disparaît, et je recommence à travailler. Peu après, il revient et m'observe à nouveau.

Régulièrement, quand je sens des crampes, je me redresse, je m'étire et je m'allonge sur le sol. Moffi s'amuse à me passer dessus. Il commence par les pieds et avance, parfaitement en équilibre, jusqu'à mon visage. Il me chatouille le menton avec ses moustaches, ou lève une patte et me tapote les yeux.

Ce que je préfère, ce sont les moments où il se roule en boule et se love sur ma poitrine. J'adore la sensation de sa chaleur et les battements simultanés de nos cœurs qui résonnent dans le silence et l'obscurité.

En paix, ensemble.

3 décembre 1942 – Premier soir de Hanoukka

J'ai fini le chandelier. Ce soir commence Hanoukka. Maman est en train de préparer des *latkes*. J'imagine notre appartement, vide, sans personne pour allumer les bougies. À une époque, je n'avais pas conscience d'être juif. Enfin, bien sûr que si, j'en avais conscience, mais c'était une caractéristique parmi d'autres.

Pas la seule.

Je me demande combien nous sommes à survivre. Combien nous sommes à allumer des bougies cachés derrière d'épais rideaux noirs en rêvant de liberté.

À la fin de l'après-midi, ni vu ni connu, j'emporte le chandelier dans ma chambre. Après le dîner, une fois que les Frank sont sortis, papa et moi nous postons sur le seuil de ma chambre en cachant le chandelier derrière nous, et attendons que maman nous demande :

– Qu'est-ce que vous complotez tous les deux ?

Nous sourions.

– Vous trouvez qu'il y a de quoi sourire ? lance-t-elle sèchement.

Elle a l'air triste. Nous avons peut-être mal joué. Ajouté à sa tristesse. Au moment même où je recule, papa répond simplement :

– Oui, viens voir.

Et il l'oblige à se placer en face de nous. J'ai des doutes. Et si c'était une mauvaise idée ? Ce n'est pas un chandelier en argent et il n'est pas non plus particulièrement beau. Il ne remplacera jamais celui qu'Oma, sa mère, lui avait offert.

– Peter ?

Lentement, je retire ma main de mon dos et tends le

chandelier. Elle est bouche bée. Elle le contemple un long moment. Puis elle le prend et le caresse avant de lever les yeux sur moi.

– Je... je..., bredouille-t-elle, les larmes aux yeux.

– Pardon, il n'est pas aussi beau que celui d'Oma et je...

– Peter, je... c'est toi qui l'as fabriqué ?

– Oui.

– Je... je ne sais pas comment...

– Allez ! s'exclame papa, mais elle éclate en sanglots, le visage ruisselant bientôt de larmes, hoquetant et arrivant à peine à parler.

– Jamais je n'aurais cru... j'étais tellement... je ne pensais pas qu'un jour j'éprouverais une telle émotion devant un autre chandelier, et j'étais si... et vous êtes tous les deux... et oh, Peter... Merci... Il est magnifique !

Ce n'est pas vraiment le cas, mais je suis ravi qu'elle le pense.

12 décembre 1942 – Peter et ses parents célèbrent Hanoukka

Nous avons rangé le chandelier dans la cuisine. Tous les soirs, quand les Frank sont sortis de la pièce, nous allumons une bougie. Nous ne leur avons rien dit. Chaque jour, je prie pour la personne pour laquelle nous l'allumons. La prière est rapide car les bougies sont précieuses. J'aime ces moments où je suis seul avec mes parents. J'aime l'expression sur leur visage, sérieux, à la lueur des chandelles. J'aime la façon dont nous répétons les mêmes paroles – et après suivent quelques secondes de silence qui précèdent le moment où chacun prie seul.

Quand c'est à mon tour de prier, j'ai du mal. Tout ce que j'arrive à implorer, c'est de rester en vie. « Seigneur, je t'en supplie, fais que je reste en vie – Liese aussi. Fais en sorte qu'un jour nous puissions nous revoir. » Mais la même question revient sans cesse : Pourquoi ? Sans réponse. Pourquoi devrais-je survivre alors que tant d'autres meurent ? Il n'y a aucune raison.

Telle est la vérité.

Le soir de la dernière veillée de Hanoukka, les bougies ne sont plus que des chicots. Les Frank les allument et nous récitons les prières avant le dîner. Ils expédient la cérémonie en deux temps et trois mouvements. Pour eux, Hanoukka se réduit à ça. Anne était plus excitée par l'idée de fêter la Saint-Nicolas pour la première fois ici. Après le dîner, une fois qu'ils sont sortis, maman rallume une bougie et contemple la flamme. Elle prie pour moi, je le sais, et remercie Dieu de m'avoir maintenu en vie. Et vous savez ce qu'il y a de mieux ? Elle allume la bonne bougie puis se penche pour l'éteindre en soufflant – mais soudain s'arrête. Son visage brille de larmes à la lueur vacillante de la flamme.

– Je... je..., murmure-t-elle. Je ne peux pas !

Je l'éteins moi-même en soufflant et elle sourit.

– Tu penses que si on l'avait laissée, elle aurait brûlé pendant huit jours ?

Elle glousse comme si sa question était stupide. Pas du tout.

– On a besoin d'un miracle.

Je ne sais pas comment m'est venue la réponse, car je ne suis pas très doué pour exprimer ce que je pense.

– Bonne nuit, Peter.

– Bonne nuit.

Papa nous prend tous les deux dans ses bras, puis je remonte dans ma chambre. Hanoukka est finie.

Le lendemain, je me réveille avec une sensation de vide entre les mains. Je n'ai plus rien à faire. Je descends pour jouer avec Moffi dans la réserve. Absent. Il lui arrive de passer des journées entières à traîner dans la rue à la recherche de restes. Le soir, il rentre en rapportant les effluves de l'air du dehors. L'air de la rue. Je plonge la tête dans sa fourrure et je respire l'odeur. Elle est chargée du parfum de fumée de bois humide typique de l'automne à Amsterdam. De canaux et de réverbères.

De dehors.

18 mars 1943 – La Turquie entre en guerre !

– Enfin un peu d'action ! s'exclame maman.

– Et avec un peu de chance des cigarettes ! ajoute papa.

– Je vous en prie ! répond Mme Frank. Ils ne font pas la guerre exclusivement pour nous.

Silence.

– Tu as raison, reprend M. Frank. Ceci dit, j'avoue que par moments je l'oublie, vu que nous sommes enfermés ici, toujours sur le qui-vive.

– Pourquoi est-ce qu'ils appellent ça « nettoyer » ? demande brusquement Anne.

On dirait qu'elle n'a jamais remarqué le silence et la tristesse qui s'abattent sur nous quand elle mentionne les choses de façon aussi abrupte, sans préambule.

– Qu'est-ce que tu crois, Anne ? répond son père en soupirant.

Mais elle ne répond pas, elle enchaîne tout de go :

– Vous croyez qu'ils sont prêts à nettoyer aussi les enfants ?

– Nous ne savons pas exactement ce qu'il se passe, Anne, mais c'est grave.

Il esquive la réponse, évite d'avoir à dire que oui, ils sont sans doute prêts à nettoyer aussi les enfants. Mais Anne, Mlle Je-sais-tout, si exceptionnelle et si intelligente, est incapable de comprendre.

– Si, nous le savons ! s'exclame-t-elle un peu trop fort.

C'est l'heure du dîner et tous les employés sont rentrés chez eux, mais elle ferait mieux d'être un peu plus discrète.

– On sait parfaitement qu'ils veulent se débarrasser de nous. Mais qu'est-ce qu'ils font de nous, une fois qu'ils nous ont arrêtés ?

97

Personne ne répond. Cette fois-ci, Anne semble remarquer le silence, mais elle doit penser que c'est parce que nous ne sommes pas d'accord. Elle doit avoir du mal à imaginer que nous nous posons les mêmes questions quand nous sommes seuls, et la nuit. Quand nous n'entendons plus que le vent derrière la fenêtre et l'horloge de l'église qui marque les heures. Anne est la seule à poser les questions tout haut – ensuite, elle s'en veut, et tout le monde se sent coupable.

Soudain, elle bondit de sa chaise et dévale les escaliers.

– Anne ! appelle son père.

– Attention en descendant l'escalier, ajoute sa mère.

Brusquement Anne se retourne.

– Ça vous est égal que je me blesse en tombant ! réplique-t-elle. La seule chose qui vous importe, c'est que personne ne découvre qu'on est cachés ici !

– Anne ! gronde son père à mi-voix.

– Votre fille est un peu gâtée, si je puis me permettre, ose maman.

Margot a les yeux rivés sur son assiette. Tout à coup, je me lève en m'excusant.

– Ah, enfin un enfant bien élevé, commente maman en souriant.

– Seigneur, je t'en supplie, offre-moi une cigarette pour les épreuves que je traverse ! murmure papa.

Je crois avoir aperçu Margot qui souriait derrière le rideau de ses cheveux. Je rougis. J'ai horreur que maman fasse mes louanges devant les autres, surtout pour une telle broutille.

Mauvaise nouvelle. La Turquie refuse d'entrer en guerre ; ils ont besoin de réfléchir avant d'abandonner leur neutralité. Ils réfléchiraient un peu moins s'ils étaient juifs.

24 mars 1943 – Peter découvre une tentative de cambriolage

Il y a des jours où je ne supporte plus la tension dans l'Annexe. Margot non plus, j'en suis sûr. Elle s'en sort en faisant des travaux ménagers et en lisant. Quant à moi, le soir ou le week-end, je descends dans la réserve pour retrouver Moffi, ou même, au rez-de-chaussée, dans l'entrepôt.

La journée, dans la semaine, c'est impossible à cause des employés de bureau et des ouvriers qui travaillent. Descendre l'escalier secret en glissant sans un bruit, en chaussettes, me soulage. M'éloigner de l'Annexe me soulage aussi. De toute façon, je suis obligé de descendre le soir pour fermer la porte à clé, et le matin pour la rouvrir avant de rendre la clé à M. Kugler.

Dans la réserve, il fait sombre, encore plus sombre que dans l'Annexe, parce que les fenêtres sont complètement bouchées. Une odeur particulière flotte dans l'air. « L'odeur du monde, Peter ! » m'a répondu M. Frank un jour. Il a raison. À présent, je reconnais les odeurs. Celui du poivre, surtout. C'est pour ça que le chat éternue.

Anne et Margot ont horreur de venir ici. Ça leur donne la chair de poule. Tant mieux, comme ça toute la pièce est à moi. Je mets toujours un certain temps à m'adapter à l'obscurité, mais après je suis bien. Et au calme. Je suis seul avec Moffi qui ronronne, et j'aime ça.

Nous jouons souvent ensemble. Je m'agenouille et je cache un haricot dans une main derrière mon dos.

– Devine dans laquelle il est ? je lui lance en tendant les deux poings serrés.

Il flaire mes mains et me chatouille avec ses moustaches. Il se couche, réfléchit un moment puis lève la patte et me tapote la main gauche. Je la retourne. Le haricot est bien là.

– Sacrément malin, mon petit Moffi!

Nous recommençons, et ainsi de suite, jusqu'à ce qu'il se lasse.

– Hep! Et si c'était une souris?

Il ne répond pas, préférant s'en aller dignement vers la porte de l'entrepôt, sauf un soir où il est revenu appuyer sa tête contre mes genoux.

– Qu'est-ce qu'il y a?

Je caressais sa tête qui me paraissait toute petite sous sa fourrure. Je trouvais ça bizarre. Il n'arrêtait pas de pousser son museau contre mes deux mains.

– Qu'est-ce qu'il y a?

De nouveau il a détourné la tête et s'est dirigé lentement vers la porte… quand, soudain, un fracas épouvantable a brisé le silence.

J'ai sursauté. J'ai bondi sur mes pieds et me suis figé dans le noir, aux aguets, le cœur battant. J'avais perdu l'habitude des bruits aussi violents. Un quart de seconde je me suis senti perdu, incapable de comprendre. Puis mon cerveau s'est remis en route et je me suis dit: «Ça doit être un tonneau qui est tombé dans l'entrepôt. Il doit y avoir quelqu'un. Moffi cherche à me prévenir que je ne suis pas seul. Et s'ils m'avaient entendu? S'ils se doutaient que j'étais ici? Ai-je été assez discret?»

J'avais les yeux rivés sur la poignée de la porte qui a tourné, un tour complet en grinçant.

J'ai reculé.

Qui était-ce? Si c'était des sympathisants nazis ou des policiers en uniforme vert, ils entreraient sans façon, non? Ça doit être des cambrioleurs. Si c'est le cas, on peut négocier. Mais peut-être que non. Les gens meurent de faim. Alors, quel prix ça vaut, huit Juifs? Aucune idée. Plus de moyen de le savoir.

Moffi s'est dirigé tranquillement jusqu'à la porte qu'il a grattée en lâchant un long miaou.

J'ai tourné les talons et décampé. Vite, j'ai grimpé quatre à quatre l'escalier.

Les Frank étaient dans leur salon-chambre. J'ai prévenu Mme Frank à mi-voix. Anne, qui a tout de suite compris, s'est mise à trembler violemment. Elle était livide. Margot a passé un bras autour d'elle. M. Frank s'est levé pour descendre avec moi. Il s'est arrêté devant le bureau en demandant à maman d'éteindre la radio et de remonter.

– Prêt ? m'a-t-il chuchoté.

J'ai hoché ostensiblement la tête, fier de voir qu'il me faisait suffisamment confiance pour ne pas aller chercher papa. Nous avons descendu pas à pas l'escalier et nous nous sommes arrêtés en bas, aux aguets. « Nous n'avons pas d'armes, pensai-je, à part nos poings. » J'ai brandi le mien. La pièce était plongée dans le noir total. Paralysés sur place, chacun écoutait la respiration de l'autre. Rien, pas le moindre son.

Une porte a claqué.

Bang ! Puis encore, *bang !* Tel un coup de fusil.

– Je monte les prévenir ! m'a murmuré M. Frank.

Je me suis retrouvé seul. J'ai avancé en brandissant le poing, mais, au bout d'un certain temps, je suis remonté car il n'y avait rien. Pfeffer était dans sa chambre. Celle qu'il partage avec Anne.

– Montez ! ai-je lancé sur un ton sec et grossier.

– Comment oses-tu me parler sur ce ton, espèce de petit... ?

J'ai attrapé le col de sa chemise en serrant fort. Peut-être parce que je paniquais. Ou peut-être pas.

– Il y a des gens dans l'entrepôt ! Levez-vous, vite !

Il agitait les mains pour se défendre. J'ai compris que je

l'empêchais de bouger et je l'ai lâché. Il s'est précipité en haut en faisant un raffut inouï. Quel crétin !

Je suis monté derrière lui.

En silence.

Tout le monde, sauf papa, était réuni dans la salle de séjour des Frank. Un par un, nous avons filé dans la cuisine – et nous avons attendu. Papa a toussé. Margot lui a tendu une boîte de pastilles. Rapide, discrète et courageuse. L'attente se prolongeait. Anne tremblait toujours. Blanche comme un linge et, pour une fois, muette.

– Ça va ? lui ai-je demandé.

– Quand je t'ai entendu remonter, je... je... je ne savais pas... en fait, je n'étais pas sûre que c'était toi et papa... j'avais peur que ça soit...

– Chut ! a murmuré Margot. Pas maintenant, Anne.

Tout le monde a compris ce qu'elle voulait dire. Elle croyait que c'était eux et qu'ils venaient nous arrêter. Papa a encore toussé. S'est excusé. A de nouveau toussé. Devenant rouge comme une pivoine en tâchant de se retenir. S'est excusé. A toussé... je l'aurais étranglé.

– Tu as éteint la radio ? ai-je demandé à maman.

Elle a hoché la tête, mais Anne m'a entendu.

– La radio est allumée ! Et si la défense passive s'en aperçoit et envoie un flic pour fouiller le bâtiment ? Vous imaginez, s'ils tombaient sur huit chaises installées autour d'un transistor interdit branché sur la Grande-Bretagne... ils...

– Anne ! Tais-toi. C'est trop tard, on ne peut plus rien faire, a murmuré sa sœur.

J'observais Margot. Elle, qui est si discrète, était parfaitement calme et courageuse alors que la situation était grave, et c'est Anne qui perdait tous ses moyens.

– Je descends voir s'il se passe quoi que ce soit, a annoncé M. Frank en se redressant.

Aussitôt je me suis levé. De même que papa. Nous avons attendu pour voir si Pfeffer voulait se joindre à nous, mais il a préféré rester avec les femmes. J'ai attrapé un marteau au passage. Papa a enfilé son pantalon et son manteau, et pris une gouge. M. Frank avait les mains libres. Nous sommes descendus dans le noir. Rien. Pas un bruit.

– Ils ont dû repartir, a chuchoté papa.

Nous sommes remontés dans le bureau, et nous avons remis les chaises en place et caché la radio en espérant qu'aucun policier ne remarquerait la tentative d'effraction et ne serait tenté de venir fouiller. Nous sommes remontés pour attendre dans la cuisine.

C'est tout ce que nous faisons.

Attendre.

J'ai caché le marteau sous mon lit, au cas où.

Dès que je m'endors, le cauchemar commence. Des hommes avec un casque brillant, tels des insectes, descendent en rampant sur les murs.

Le lendemain au petit déjeuner, nous étions tellement épuisés que nous avions du mal à parler. Sauf Anne, comme par hasard.

– Vous avez écouté les cloches, vous aussi ? J'ai attendu toute la nuit mais je n'ai rien entendu. Je me demande ce qu'elles sont devenues.

– Ah, c'est pour ça que j'étais tellement troublée, a répondu maman en se frappant la cuisse.

– *Ach !* s'est exclamé papa. Ces cloches sont comme les enfants : au début, c'est une plaie mais, petit à petit, on s'y habitue, jusqu'au jour où on ne peut plus vivre sans elles !

Tout le monde a souri.

– Mmm, quand je pense que j'étais là, allongé en pensant que je n'arrivais pas à dormir parce qu'on avait essayé de nous cambrioler, a renchéri M. Frank, caché derrière le journal de la veille.

– Les cloches, quelles cloches ? a demandé maman. Je n'ai jamais entendu de cloches.

– Arrête de faire de la provocation, Auguste ! a répliqué Mme Frank en riant.

– Ça s'appelle un carillon, est intervenue Margot. Une pluie de cloches en même temps, je crois que le mot est d'origine française. Un carillon de cloches, l'expression est jolie, non ?

– Très belle. Carillon…, ai-je murmuré tout bas.

– En tout cas, elles ne sonnent plus, a repris Anne. Je me demande pourquoi…

Aussitôt elle a inventé une histoire, déclarant que les cloches en avaient assez et refusaient de sonner pour les nazis.

– Elles recommenceront à sonner le jour de la libération de tous les Juifs, a-t-elle ajouté avant de prendre une grosse bouchée de ce qu'on appelle nourriture ces jours-ci. Qu'est-ce que tu regardes ? m'a-t-elle demandé la bouche pleine.

– Comment tu fais ?

– Quoi ?

– Pour inventer des histoires aussi facilement ?

– Et toi, comment tu fais pour descendre alors que tu penses qu'il y a un cambrioleur caché ? J'en serais incapable.

– Mmm…, marmonna Mme Frank en souriant. Heureusement que nous sommes différents les uns des autres.

– Sauf que, si on ne l'était pas, il n'y aurait pas de guerre, a répliqué maman.

Tous se taisaient, réfléchissant, jusqu'au moment où, allez savoir pourquoi, on a tous éclaté de rire.

J'aime bien ces moments.

27 mars 1943 – Peter et Margot
bavardent au grenier

Pourquoi faut-il que j'apprenne l'anglais ? Les Américains et les Anglais me tueraient-ils si je les remerciais en hollandais ? Et le français, à quoi bon ? Quoique, j'aime bien les sonorités françaises. J'aime bien prononcer les mots mais je me fiche de ne pas connaître leur sens. Je parle déjà le hollandais et l'allemand, ça suffit, non ?

« Répondez, s'il vous plaît. » Voilà ce que signifie l'abréviation *RSVP*. Margot et Anne suivent des cours de sténographie par correspondance. Elles se passent des petits mots qu'elles lisent en ricanant sous cape. Ça m'exaspère.

– Au moins, elles apprennent quelque chose ! commente Mme Frank en me lançant un regard aussi perçant qu'une poignée de ses aiguilles.

– La grossièreté, voilà ce qu'elles apprennent, rétorque maman. Je me demande d'où ça leur vient.

Je me lève de table.

– Qu'est-ce que tu en penses, Peter ? intervient Anne. Ça t'ennuie qu'on s'échange des mots ? *RSVP, tout de suite !*

– Veuillez m'excuser.

– *Il répond, ça c'est vrai !* s'exclame Anne en riant.

– *Oui, avec ses pieds*, ajoute Margot.

Je ne sais pas de quoi elles parlent. Est-ce parce que mes pieds sentent mauvais ? « Pieds », ça veut dire ça, non ?

Je monte au grenier. Je m'oblige à prendre de longues respirations pour contenir ma rage. Je me concentre sur l'arbre couvert de bourgeons. Si seulement je pouvais tendre la main pour les toucher. Si seulement je pouvais en cueillir une poignée. Si seulement je pouvais grimper dans l'arbre et m'asseoir sur une branche en balançant les jambes, avec Liese à mes côtés.

Si seulement... tant de choses.

Qui jamais n'arriveront.

Anne est tellement pénible que parfois j'aurais envie qu'elle disparaisse dans un nuage de fumée.

Après, je me sens coupable parce que nous sommes effectivement en train de disparaître. Inexorablement. Nous venons d'entendre dire que tous les Juifs doivent être nettoyés et éradiqués des territoires occupés par les Allemands. Quant à nous, nous devons être «nettoyés» du Sud et du Nord des Pays-Bas entre le 1er mai et le 1er juin.

– *We are to be routed out par Herr Rauter!*[1] déclare M. Frank en anglais.

Anne rit comme si elle comprenait le jeu de mots. Peut-être qu'elle l'a compris, d'ailleurs, et peut-être qu'elle est tellement intelligente qu'elle arrivera à sauver sa peau.

Mais comment pourraient-ils nous nettoyer? Telle est la question qu'Anne a osé poser tout haut et que je me pose moi aussi. Quand j'entends ce verbe, «nettoyer», je pense à des fourmis et du poison. J'ai envie d'enfiler des gros godillots pour aller écraser chaque nazi, un par un, comme des cancrelats. Est-ce ça que voulait dire M. Frank quand il m'expliquait qu'il ne fallait pas que je me laisse contaminer par leur haine? Cela me rend-il aussi détestable qu'eux?

Je pique une des cigarettes de papa cachée au-dessus d'une poutre. Je l'allume, mais la fumée me fait tousser.

– Ça va?

C'est Margot. Elle est montée si discrètement que j'ai sursauté. Je ne l'avais pas entendue.

– Ils sont en train de nous nettoyer comme des cafards.

– Nous sommes des cafards, en tout cas à leurs yeux, ajoute-t-elle, imperturbable, comme si c'était un fait et non

---

1. Nous devons être déroutés (au sens propre) par M. Rauter. (*NdT*)

pas une affirmation inadmissible. Elle s'assied à côté de moi et se penche pour humer la fumée.

– Tu veux essayer ? Fais attention de ne pas avaler la fumée sinon tu risques de tousser.

– Non, merci. C'était par curiosité. J'ai horreur de ça, je trouve que ça sent mauvais.

Nous restons un long moment silencieux.

– Heureusement, les Hollandais sont dans notre camp, me confie-t-elle.

Elle a raison. Quelques jours plus tôt, plusieurs résistants hollandais se sont déguisés en officiers allemands et ont fait exploser la Bourse du travail. Mieux encore, les pompiers ont débarqué et ont arrosé le bâtiment jusqu'à ce que tout soit trempé et noyé alors que l'incendie était éteint. Toutes les archives sont détruites.

– On n'est pas des cafards, tu es d'accord ?

– Bien sûr que non, même s'ils font tout pour qu'on ait l'impression d'en être. S'ils y arrivent, ça voudra dire qu'ils auront gagné.

Je l'observe. C'est la première fois que je l'entends parler avec autant de conviction.

– En tout cas, c'est ce que mon père m'a dit, dit-elle en rougissant et en se détournant. Peter, où crois-tu qu'ils nous envoient ? ajoute-t-elle brusquement, sans attendre de réponse, et poursuivant aussitôt : Qu'est-ce qu'ils font de nous, à ton avis ?

Ses lunettes brillent dans la faible lumière. Poser ce genre de question, c'est comme marcher sur des charbons ardents. Je lève les yeux pour observer les bourgeons. Surtout ne pas croiser le regard de Margot.

– Aucune idée, murmuré-je, j'imagine que… nettoyer, ça veut dire faire disparaître, se débarrasser de… tuer. Enfin… je crois.

– Mais pourquoi ?

– Ton père pense qu'ils ont une telle haine en eux que d'une certaine façon ils ont besoin de s'en libérer...

– Peter ! hurle-t-elle tout bas.

Mes doigts me brûlent. Vite, je lâche ma cigarette. Je l'avais oubliée.

– Attention !

Nous l'écrasons consciencieusement jusqu'à ce que la moindre étincelle ait disparu.

– Tu imagines ! lâche-t-elle.

C'est son unique commentaire. Le fait est que nous imaginons. Si le bâtiment prenait feu, nous serions brûlés vifs sur place, engloutis comme des bêtes. Nous avons parfaitement conscience d'être enfermés dans un piège. Impuissants.

Elle esquisse un sourire triste et commence à s'en aller. Je n'ai pas répondu à sa question. Celle que nous nous posons tous, sans cesse, jour et nuit, sans jamais la formuler tout haut, sauf Anne.

– Margot ?

– Oui.

– Je... je ne sais pas pourquoi... nous.

– Moi non plus mais, parfois...

– Quoi ?

Elle s'assied au sommet de l'escalier, le menton dans les mains.

– Parfois, je me réjouis de savoir qu'il n'y a pas que nous. Que ça concerne aussi d'autres gens. Qu'ils haïssent tous ceux qui ne sont pas exactement comme eux, que... oh, peu importe !

– Moi aussi.

– Tu penses que c'est de la malveillance ? Je veux dire... se réjouir parce que d'autres souffrent ?

– Toi, Margot, malveillante ? Tu es la personne la plus douce que j'ai jamais rencontrée.

– Oh ! Je... tu... ?

– Quand bien même tu le voudrais, tu n'arriverais pas à être méchante.

– Si, je crois que j'y arriverais, répond-elle très lentement, en réfléchissant, comme s'il fallait qu'un jour elle essaie.

– La preuve, c'est que ça te demande de réfléchir !

– Tu as peut-être raison.

– J'en suis sûr.

– Allez, il est temps que j'aille lire.

Je la regarde descendre l'escalier doucement, prudemment, évitant de faire le moindre bruit. Pour ne pas se mettre en danger. Ni elle ni aucun de nous. Ainsi vivons-nous – ce qui, parfois, nous donne envie de hurler. Me donne envie d'écraser des gens sous mes bottes.

J'écrase le reste du mégot en l'enfonçant avec mon talon jusqu'à ce qu'il ne reste que de la cendre. Jusqu'à ce qu'il ne reste rien. Je ramasse la cendre et je souffle dessus. Puis je descends moi aussi.

Cette nuit-là, j'ai rêvé que j'étais un pied – un immense pied, large, qui piétinait des soldats. Broyant leurs casques comme des carapaces de cafard sous mes semelles. La terre était rouge et glissante. Je sautais dans des mares de sang. À chaque enjambée, un mot, un seul, s'élevait : haine... haine... haine, emporté par un tourbillon de fumée mouvant et changeant.

Je me suis réveillé en pleine nuit. J'ai ouvert grand les yeux en attendant qu'un rai de lumière apparaisse.

Rien.

J'ai tendu l'oreille pour entendre les cloches me permettant de savoir combien d'heures il me restait à être allongé dans le noir.

Elles ne sonnaient plus.

Le monde était plongé dans le silence.

J'enrageais.

Sommes-nous voués à être abandonnés sans rien, rien du tout ? Est-ce tout ce que je suis ?

Un trou dans le silence.

Tu le savais, mon garçon. Tu l'as toujours su. D'une certaine façon, même à cette époque, tu le sentais.

La peur.

Qu'ils y parviennent et nous éradiquent de la surface de la terre.

Toute notre histoire effacée, comme nos maisons, vidées, aussi vite.

Pourtant, j'ai du mal à croire qu'un jour j'ai vécu ta vie.

Un jour, tu étais moi, vraiment?

Et moi, toi?

Décembre 1943, Hanoukka

Je suis enfermé ici depuis trop longtemps. Si longtemps qu'il m'arrive d'avoir l'impression que ma vie avant était un rêve. Et que toute idée de l'avenir est condamnée à n'être qu'une illusion, même si je refuse de l'avouer.

Dehors, le ciel est bleu et froid. Les branches du marronnier sont nues, sauf à la cime, du côté gauche, où quelques feuilles brunes recroquevillées s'accrochent. Je fais des paris avec Anne. Elle prétend qu'elles vont rester là tout l'hiver, jusqu'à ce qu'elles soient remplacées par les feuilles du printemps. Quant à moi, je pense que le vent les chassera avant le mois de février.

J'espère que c'est elle qui a raison.

J'ai retrouvé la *menorah* rangée au fond d'une grande boîte. Quand je pense que je l'ai sculptée il y a déjà un an. Certaines journées ont été ensoleillées, d'autres chaudes, ou au contraire glaciales. Certaines heureuses, d'autres tristes, pleines de rage, ou encore ennuyeuses à mourir.

Délicatement, je retire la poussière qui s'est accumulée sur les bougeoirs et je retrouve les symboles que j'ai gravés.

Une année entière.

J'ai dix-sept ans, désormais. Dix-sept. Je n'ai jamais fait l'amour à une fille, sauf dans mes rêves, où je me souviens du moindre centimètre de Liese : la courbe de sa taille, le poids imaginaire de ses seins, le toucher de sa peau, douce comme un abricot, l'éclat de ses yeux.

En réalité, je ne sais rien.

Le chandelier dans les mains, je me demande ce que sont devenues mes prières. Où sont-elles allées ?

Nous sommes si nombreux à avoir disparu. Nous faisons tout pour ne pas en parler, ne pas y penser. Vivre. Poursuivre. Nous nous accrochons, telles les feuilles de l'arbre.

Une année entière s'est écoulée. Jamais je ne pensais que je serais encore ici en 1944.

Debout devant la fenêtre du grenier, j'ai vu des chiens se battre, j'ai vu des bombes exploser et des feux s'embraser. En automne, j'ai suivi des yeux les oies qui migraient. Tous les matins, je montais au grenier pour les écouter prendre leur envol au-dessus du toit. Elles passaient devant les fenêtres en criaillant, s'élevant vers le soleil.

Dehors.

Margot venait me rejoindre et nous les regardions ensemble. La plupart du temps, nous les entendions simplement mais, un jour, elles sont passées juste au-dessus de nous. Elles étaient douze, rassemblées telle une immense aile déployée – une longue ligne noire se détachant sur le ciel et disparaissant peu à peu.

– On dirait un miracle, a dit Margot.

– Quoi ?

– Le fait qu'elles puissent toujours voler.

C'est vrai. Quand on est enfermés comme nous, c'est un miracle de voir que la vie continue dehors. Que les fleurs poussent semble étrange, ou que Miep puisse sortir, à l'extérieur, et revenir. Notre monde a arrêté de tourner. Il est grippé. Être en vie et vivre ne signifie pas la même chose. Nous sommes en vie. Peut-être qu'un jour nous vivrons à nouveau.

– Ah, vivre ! s'exclame papa. Un jour peut-être, nous y aurons de nouveau droit.

Nous sommes toujours ici, tous les huit. C'est un miracle, comme les oies prenant leur envol.

Il est difficile de croire aux miracles. Plus facile de se contenter des tâches quotidiennes, ce qu'on est sûr de pouvoir accomplir. J'ai fait tout ce que je pouvais pour garder la foi mais, chez quelqu'un comme moi, la foi a besoin de l'air du dehors pour se maintenir en vie.

Je ne peux pas croire que Dieu permette une telle abomination. Je refuse de croire en un dieu qui déclare que les Juifs sont le peuple qu'il a élu.

Je refuse de croire qu'être juif, c'est être mieux ou moins bien qu'être autre chose ; si Dieu a vraiment élu son peuple, est-ce pour ça qu'il est mieux que nous ? Parce que c'est ce qu'ils font, eux, non ? Sauf qu'ils ont choisi de nous haïr en priorité, comme Dieu a choisi de nous aimer en priorité.

Soit les deux ont raison, soit les deux ont tort.

Nous sommes des gens normaux – voilà ce que je pense sans cesse. Comme tous ceux qui passent au pied de l'Annexe, sans jamais lever les yeux, qui jamais n'imagineraient que nous sommes enfermés ici en attendant que notre monde renaisse.

J'aime toujours autant les bougies. Je réciterai toujours mes prières. Je ne veux pas que quelqu'un sache ce que je ressens. Je refuse d'en parler.

Cette année, je penserai à chacun de nous, et à ce que nous avons conservé.

À Margot, dont je me dis parfois que je pourrais tomber amoureux.

À Anne et à ses yeux qui pétillent encore.

À maman : bécasse, merveilleuse, agaçante, si bonne.

À papa, ses blagues, son caractère bien trempé et ses efforts pour me permettre d'être un homme.

J'essaierai de me souvenir de tout ce que j'ai oublié, de ce qui autrefois était naturel, rire tout haut, par exemple, sans avoir peur.

Ou avoir des courbatures dans les jambes après avoir trop marché.

Pouvoir choisir ce que l'on a envie de manger !

Avoir le droit de détester l'école, plutôt que rêver d'y retourner.

Aujourd'hui encore, il m'arrive de me réveiller et de remuer dans mon lit en attendant que maman m'appelle du pied des escaliers pour que je me prépare pour le lycée. Quand, tout à coup, j'ouvre les yeux, je reconnais les murs et je me souviens.

Que je suis ici.

Voilà pourquoi je prierais si j'y croyais. Me lever et remonter le Zuider-Amstellaan pour aller au lycée. Ce serait en automne.

Les feuilles flotteraient sur les canaux. Le soleil brillerait. Le monde serait en or et un ami m'appellerait : « Salut, Van Pels ! » J'agiterais la main pour le saluer en lançant : « On se retrouve tout à l'heure à l'Oasis ! »

C'est aussi simple que ça. Mon rêve. Rêve d'un dehors où je pourrais vivre comme ça tous les jours – une simple nouvelle journée.

– Peter !

Papa est en face de moi.

– Si tu ne descends pas avec le chandelier, c'est toi que maman va allumer !

Il s'approche pour regarder par la fenêtre avec moi. Il va bientôt faire nuit. Nous sommes en plein hiver. Toute l'année, l'Annexe est plongée dans la pénombre, mais en hiver c'est pire, car en plus il fait froid et humide. Même Anne renonce à briller et à se réjouir.

Papa glisse un doigt sur le linge qui sèche dans le grenier en souriant. Les vêtements sont vieux et usés. Mme Frank a beau se crever les yeux en les raccommodant sous la lumière trop faible, ils sont de plus en plus élimés. Désormais, chacun a son rôle dans l'Annexe : M. Frank entretient le moral de la petite troupe pendant que Mme Frank entretient ses habits. Maman entretient nos estomacs pendant que papa bricole et provoque grognements ou sourires avec ses plaisanteries.

J'avoue que j'aimerais bien qu'ils se chamaillent un peu moins.

– Tu te rappelles le jour où Anne a suspendu ses devoirs pour qu'ils sèchent ? demande papa. Marie de Médicis à côté de Charles Quint : quel affront vis-à-vis de l'idée de ségrégation raciale[1] !

---

1. L'incident est rapporté par Anne Frank beaucoup plus tard, mais j'ai préféré l'utiliser ici.

Je souris car c'est une de ses meilleures blagues mais, comme toutes les plaisanteries, les meilleures sont les plus courtes.

– *Ach!* s'exclame-t-il en attrapant un vieux gilet troué. Regarde-moi ça! C'est une honte! Ta mère portait de si jolis vêtements avant. Des tenues ravissantes, *Petel*. De la soie rose, tu aurais dû voir…

Brusquement, il se détourne. Un oiseau traverse le ciel, telle une traînée blanche dans le silence. Le dos de papa est parfaitement droit. Il sourit, je ne le vois pas mais je le sens. Il parle tout seul.

Pas un geste.

J'écoute.

– Ah, Gusti, tu étais si belle. Si belle que je suis incapable de te le dire.

Soudain il poursuit tout haut:

– Tu sais ce qu'on faisait avec les jeunes épousées, autrefois? On les couvrait de plusieurs épaisseurs de vêtements. Comme un cadeau que le jeune marié devait ouvrir. Les étoffes étaient superbes! Elle portait de la soie, Peter. Rose, comme ses joues fraîches. Ce teint qu'elle n'a jamais perdu, même ici. *Ach*, son petit carré de soie! Le soir où nous avons appris que la maison avait été vidée, elle l'a gardé entre les mains toute la nuit. Un petit bout de soie de rien du tout. *Ach*, je perds la tête, non? Parler de sa mère à son propre fils!

Pas un geste. Pas un sourire. Je voudrais qu'il continue pour pouvoir lui répondre: «Tu ne t'es jamais douté que je vous entendais tous les deux la nuit?»

Surtout la nuit où la maison a été vidée.

Il se retourne, le gilet en loques entre ses mains. Pense-t-il vraiment que ça m'échappe – son chagrin, sa nostalgie du passé?

«Toi au moins, tu as un passé, je songe. Moi non, ou si peu!»

– Allez, descends le chandelier!

5 janvier 1944 – Peter se réfugie
dans sa chambre pour échapper à Anne

Il y a des jours où la façon dont Anne m'observe m'agace. On dirait qu'elle mesure un objet, qu'elle évalue la taille d'un morceau de bois avant de faire la première encoche. Je ne suis pas sûr d'apprécier ou, au contraire, peut-être que j'apprécie.

Elle vient d'entrer dans ma chambre, une main sur la joue et la tête légèrement inclinée. De toute évidence, elle a l'intention de rester un moment. Je quitte mon lit en soupirant et vais m'installer près du bureau. Je reprends mes mots croisés mais elle n'arrête pas de sauter sur le lit et de regarder par-dessus mon épaule en me soufflant les réponses.

– Qu'est-ce qu'elle fabrique, Margot, quand elle monte dans ta chambre ?

– Margot vient rarement ici, en général elle passe pour aller au grenier.

– Ah !

Et elle continue, encore et encore, bavarde comme une pie. Elle se lance dans un long discours sur le fait que je rougis. Un jour, ça s'arrêtera, elle a lu un article à ce propos, alors elle sait. J'acquiesce en silence. Je suis incapable d'ajouter un mot. Ni de vraiment l'écouter. Le visage de Liese me revient en mémoire. Ses yeux qui s'allumaient quand ils se posaient sur moi. Avec Liese, je ne rougissais jamais.

Je me concentre sur mes mots croisés. Anne finit par se lever. Je me lève pour lui dire au revoir. A-t-elle enfin compris que j'ai envie d'avoir la paix ?

Je m'écroule sur mon lit. Me recroqueville. Prends ma tête entre mes mains. Hélas, l'image de Liese ne revient pas, remplacée par celle d'Anne : ses drôles de cheveux, son allure étrange. Je suis furieux – furieux qu'elle soit entrée dans ma chambre, furieux d'avoir été trop poli pour la chasser, furieux qu'elle se soit glissée entre moi et le souvenir de Liese.

Où es-tu, Liese ?

Es-tu en vie ou morte ?

Es-tu déjà quelque part, là-haut, à me regarder ?

J'ai les larmes aux yeux.

Larmes chaudes, brûlantes.

24 janvier 1944 – Anne attire l'attention de tout le monde

Anne a déclaré qu'elle avait pris une décision : nouvelle année, nouvelle Anne. Et voilà que ce soir, elle arrive au dîner les cheveux noués serrés, avec une houppette un peu bizarre qui pointe devant.

Margot me sourit discrètement au-dessus de son assiette de chou frisé pourri (n'y pense pas, enfourne-le dans ta bouche et mâche). Nous nous abstenons de tout commentaire. Les parents, eux, ne s'en privent pas.

– À quoi joues-tu, Anne ? Donne-nous un indice, voyons ! s'exclame maman.

– Tu as l'air ridicule, s'indigne Mme Frank. Tu sortirais dans la rue comme ça ?

Un court silence suit et Anne éclate de rire.

– Si je pouvais, je sortirais dans la rue attifée n'importe comment !

– Anne ! la gronde son père.

Furieuse, Anne sort en trombe. Margot baisse la tête, puis ramasse l'assiette de sa sœur en se levant.

– Repose-la, dit très calmement M. Frank en fixant sa fille derrière ses lunettes. Et assieds-toi.

Elle obéit. Il sort et revient avec Anne, qui se rassied, muette jusqu'à la fin du dîner, puis débarrasse avec nous sans rien dire.

– Il n'y a aucune raison pour que Margot débarrasse alors que tu as quitté la table après avoir fait l'intéressante ! l'ai-je entendu lui murmurer.

Anne encaisse, tête haute, mais avec sa coiffure qui s'est écroulée, il faut bien avouer qu'elle a l'air un peu pitoyable.

– Je vais t'aider, lui proposé-je.

Nous faisons la vaisselle pendant que Margot essuie le tout. Vous seriez étonnés de voir avec quelle discrétion, alors qu'on y voit à peine !

– Pas la peine de nous aider, Margot, grommelle Anne.

Sa sœur ne répond pas.

– Tout le monde trouve que mademoiselle est parfaite, c'est ça ? ajoute Anne.

Margot soupire et Anne glousse, passant soudain du coq à l'âne :

– Tu pensais vraiment que Moffi était une fille, Peter ?

– Laisse-le tranquille ! lance Margot.

Je nettoie une nouvelle assiette.

– Si, parfaitement ! Il croyait qu'elle allait avoir des bébés !

– C'est parce que je n'avais pas regardé d'assez près, je me défends, en rougissant. Il avait le ventre très gonflé.

– Tout le monde peut se tromper, Anne, même toi !

– Tu sais comment on distingue un garçon d'une fille ?

– Mmm...

– Je vous rappelle que je suis ici, souffle Margot.

– Vraiment ? répond sa sœur.

– Vous ressemblez à deux chattes qui se chamaillent !

Si c'était des chattes, elles auraient le dos rond et se feraient face toutes dents dehors. En tout cas Anne. Margot, elle, se contenterait de tourner les talons en levant la queue. Comme moi : je m'éloigne dès que la vaisselle est finie.

– Puisque c'est comme ça, descendez avec moi et je vous prouverai que c'est un mâle.

Je ne m'attendais pas à ce qu'elles me suivent, mais Anne n'hésite pas une seconde, elle descend avec moi. Hélas, Moffi est absent. Nous nous asseyons en attendant. Je n'ai aucune envie de discuter. Ici, je suis chez moi, dans mon jardin secret, au calme. Mais avec Anne à mes côtés, je me sens mal à l'aise. Quelques instants plus tard, nous remontons.

J'y retourne peu de temps après. Ces jours-ci, j'essaye de graver un dessin dans de vieilles plaques de liège. Ça me convient parce que ça me prend du temps. J'ai creusé sur les côtés de façon à représenter un rideau et un bout de fenêtre. Je voudrais dessiner, plus exactement graver, la péniche qui est de l'autre côté du canal. C'est plutôt facile, mais je ne suis pas très doué, ceci dit, j'aime bien parce que ça m'occupe.

La pièce est tellement sombre que je grave presque à l'aveuglette. Jusqu'au moment où j'entends un bruit de pas, pourtant très feutrés. Vite, je cache mon ouvrage et prends le chat dans mes bras. Il miaule quand Anne pointe le bout du nez à la porte. Elle a les cheveux noués, avec deux ou trois boucles qui s'échappent, et porte sa vieille robe de chambre par-dessus ses habits. Il fait froid. Tellement froid que certains jours nous superposons sur nous nos vêtements. Avec un peu de chance, les vieux trous cachent les nouveaux.

– Salut !
– Salut !
– Qu'est-ce que tu fais avec le chat ?

Moffi se tortille en se réfugiant contre moi. Je promène mes mains dans sa fourrure épaisse en suivant sa colonne vertébrale, comme il aime. Peu à peu, il se calme. Anne m'observe – ou plutôt, elle observe mes mains –, fascinée.

– Qu'est-ce qu'il y a ? lui demandé-je.

Je préférerais qu'elle s'en aille. J'adore être seul dans l'obscurité, graver, sentir une image prendre forme sous mes doigts. Écouter Moffi qui bâille et rôde à la recherche d'une proie.

– Alors, comment tu fais pour voir si c'est un mâle ?
– Ah ! d'accord, je crois que c'est ici.

Je renverse Moffi et je lui montre.

– Ça se voit parce qu'il n'a pas de mamelles, mais il a ça pas au même endroit, expliqué-je en indiquant la chose en question, dont j'ai du mal à prononcer le nom.

121

– Ah ? C'est comme chez les êtres humains ?

– Oui, sauf qu'on n'a pas de fourrure !

Manifestement, elle ne sait pas grand-chose. Elle me pose une série de questions, en particulier sur les différentes méthodes pour ne pas tomber enceinte. Elle me demande si papa et maman voulaient avoir un enfant unique. Pour une fois, c'est moi qui en sais un peu plus qu'elle et j'apprécie.

Moffi me tapote la main avec une patte car il a envie de jouer. Je cache un haricot dans mon dos.

– Peter ? Les hommes et les femmes sont différents, non ?

– Oui.

Que cherche-t-elle à savoir exactement ? Quand Anne s'est mis en tête d'apprendre quelque chose, rien ne l'arrête, pas même le fait d'être manifestement gênée.

– Je sais que *geschlechsteil*, ça veut dire les organes sexuels, ajoute-t-elle tout de go. Et je sais comment on dit pour les femmes, mais pour les hommes, c'est quoi ?

Je suis tellement choqué qu'il me faut quelques instants pour me remettre.

Choqué par le mot.

Choqué qu'elle ose m'interroger.

Choqué de parler des garçons avec une fille.

– Tu es excellente en grec et tu ne sais pas ça ?

– Disons qu'il y a des limites à ce que tu peux apprendre dans les livres.

J'hésite. Je n'ai pas envie d'avoir des ennuis. Que penserait de moi M. Frank s'il savait que je discutais du sens du mot « pénis » avec sa fille ?

– J'interrogerai mes parents. Après tout, c'est eux qui ont de l'expérience dans ce domaine.

Elle hoche consciencieusement la tête, sans comprendre que je blague. Tant mieux. Je n'ai aucune envie que M. Frank pense que je corromps sa fille. Sauf que c'est plutôt elle qui me corrompt, finalement.

Vite, je prends la clé et me dirige vers l'escalier.

– Tu n'oublieras pas de poser la question à tes parents ?

– Mmm...

– Le problème, c'est que j'ai entendu ta mère dire qu'elle n'abordait jamais ce genre de sujet avec toi.

– Tu l'as entendue dire ça ?

– J'entends beaucoup de choses.

– Peut-être que maman ne voulait pas qu'on lui reproche d'avoir ce genre de conversation avec son fils !

Là-dessus, je file en affichant mon plus beau sourire.

1ᵉʳ février 1944 – Peter aperçoit le journal d'Anne

Anne était assise à la table de la cuisine en train de griffonner. J'ai pensé que je pourrais enfin jeter un œil sur le fameux journal dont elle nous rebat les oreilles, mais elle ne faisait que recopier son nom, à l'infini, signer, comme si elle s'entraînait pour l'époque où elle serait célèbre. Tout à coup, elle s'est arrêtée en poussant un long soupir, venu du plus profond d'elle-même.

– Tu crois qu'un jour on découvrira notre existence ?

Elle m'a posé la question très doucement. (On ne sait jamais, il y a toujours des oreilles qui traînent. À peine nos parents nous entendent-ils poser une question qu'ils se précipitent dessus, comme un chat sur un rat, avant de la déchiqueter jusqu'à ce qu'il ne reste rien pour nous, rien auquel nous ayons même envie de penser.)

– Aucune idée, j'ai répondu en m'asseyant à côté d'elle. Qu'est-ce que tu voulais dire exactement ? Simplement nous, ici, ou tous les Juifs ?

– Nous, ici, dans l'Annexe. C'est trop déprimant de penser à tout ce qu'il doit se passer ailleurs.

Je n'avais jamais compris que chuchoter pouvait créer une telle intimité.

– Ça ne va pas durer éternellement. Faut espérer.

– Tu ne penses pas ?

Elle avait l'air profondément triste. Triste, fragile, épuisée, petite fille. Ses cernes étaient encore plus noirs que d'habitude. J'ai passé la main dans ses cheveux en les ébouriffant. Spontanément. Parce que je sentais qu'elle avait besoin d'être réconfortée.

J'ai jeté un œil sur son cahier, mais elle l'a tout de suite refermé. « Ah, ça doit être son journal ! » Et naturellement j'ai ajouté :

— Quelquefois, je regarde un objet que j'ai fabriqué de mes mains et je me demande s'il sera toujours là quand j'aurai disparu.

— C'est différent, a-t-elle murmuré.

— Différent de quoi ?

— Des mots, des histoires, des idées.

Nos têtes se frôlaient. Doucement, j'ai passé la main sur son journal. Elle n'a pas bougé.

— Mais ça, c'est aussi un objet que tu as fabriqué, non ? Ces mots, ils seront toujours là, tu ne crois pas, même si on... on n'est plus là, nous ?

Elle me dévorait des yeux et cela me faisait du bien. Comme si j'avais réussi à la surprendre.

— Ils brûlent les livres, a-t-elle ajouté tout bas. Par piles entières. Des tonnes de bouquins.

— Je sais, Anne, mais ton père a raison, ils ne pourront jamais brûler les idées. En tout cas pas toutes.

— Pourquoi est-ce que tu ne parles pas plus souvent, Peter ?

J'ai souri. Un jour viendrait-il où Anne n'aurait pas une question prête à surgir d'elle ?

— Tu as vu ce qu'il se passe quand je prends la parole. Je rougis, je m'emmêle les pinceaux, ou je me mets en colère.

— Comme Pfeffer ?

— Oui.

— Moi, je suis dix fois trop pipelette !

Comme nous n'avions rien de mieux à faire, et parce que j'avais l'impression qu'elle en avait envie, j'ai parlé. Parlé comme je caressais Muschi, pour la soulager. Parlé de tout et de rien. Parlé parce que les yeux d'Anne me rappelaient le jour où j'ai débarqué ici : je me sentais seul, j'avais peur et j'étais incapable de prendre du recul pour réfléchir. Elle était blottie au fond du canapé et me regardait fixement alors, d'une certaine façon, c'était plus facile. Ce que je disais n'avait pas beaucoup d'importance. De toute façon, elle interprète et transforme tout à sa manière, pour que ça l'arrange !

3 février 1944 – Peter a du mal
à trouver ses mots

Si seulement je maîtrisais le langage aussi bien qu'Anne et Margot. Si seulement je pouvais écrire plutôt que dessiner. Si seulement je pouvais décrire ce que je ressens, coincé ici. Un jour, un professeur nous a parlé de la torture. Elle expliquait que ce qui fait souffrir, ce n'est pas seulement la douleur, mais la capacité de l'anticiper. Savoir que vous allez souffrir. Ici, c'est pareil. Nous savons, mais nous faisons comme si de rien n'était. Sinon à quoi bon ? À quoi bon continuer de vivre si vous savez que vous allez mourir ?

Survivrons-nous ?

La question nous mine. Nous ronge au plus profond de nous-mêmes. Comme un raclement derrière un mur en pleine nuit. Vous avez envie de bondir hors de votre lit pour aller voir. De tuer le rat ou la souris responsable. En même temps, vous voudriez continuer à dormir, blotti au chaud au fond de votre lit.

Comme si de rien n'était.

En vérité, nos parents sont tout le temps sur le qui-vive et s'interrogent. Quand la Libération aura-t-elle lieu, enfin ? Pourquoi les Anglais ne sont-ils pas plus rapides ? Ce sera plutôt les Anglais ou les Américains ? Qu'est-ce que ça peut faire ? Rien ! Et si nous étions à court de vivres ? Jusqu'à quel point les Allemands sont-ils plus forts ? Combien de temps les Hollandais vont-ils pouvoir résister ? Combien de temps pour huit Juifs ? Les mêmes questions et les mêmes discussions reviennent sans cesse, jour après jour.

À l'infini.

Pourtant, la fin semble de plus en plus proche. Tout le monde en parle. Tout le monde est excité. Tout le monde a peur.

Je suis sûr que les gens qui travaillent ici seront soulagés le jour où nous partirons.

Quant à moi, je serai soulagé de ne plus avoir Pfeffer qui s'agite en permanence sous mes yeux. Se lève. S'assied. Se relève. Se rassied. Se gratte le nez. Se frotte le menton. Si je pouvais, je lui couperais les mains. Il m'arrive même de me lever de table, alors que je meurs de faim. J'ai tout le temps faim. Seul Pfeffer est capable de me couper l'appétit.

– Peter ! Assieds-toi !

– Pardon, mais je n'ai pas faim.

– Ne sois pas grossier.

Je me rassieds. J'aimerais bien savoir qui de nous deux est le plus grossier.

– J'ai horreur des enfants qui boudent, dit-il.

Margot me jette un regard apitoyé. Anne, elle, est soulagée : pour une fois, ce n'est pas elle qui se fait gronder.

Je me souviens de mon ami, Hans. Ça fait longtemps que je n'ai pas pensé à lui. Il me manque. Pourquoi les Frank n'ont-ils que des filles ? Si Margot était un garçon, on pourrait jouer au ballon dans le grenier. Hans comprendrait parfaitement ce que je veux dire à propos de Pfeffer. Je préférerais que ce soit lui, plutôt que Margot, qui soit assis en face de moi. Je me demande où il est en ce moment. Allez, j'arrête de penser à lui. Je me souviens, on riait en disant qu'avec nos têtes d'Allemands on aurait pu s'inscrire aux jeunesses hitlériennes ! Qui sait s'il n'est pas espion ? Si je sortais d'ici, je pourrais être espion, pourquoi pas ?

Et si je me levais, là, tout de suite, pour descendre et sortir dans la rue ?

Que se passerait-il ? Rien, si ça se trouve.

– Je peux sortir de table, s'il vous plaît ?

– Oui, me répond immédiatement maman, avant que quelqu'un ne puisse s'y opposer.

Mme Frank grogne pour signifier sa désapprobation. Je fonce dans ma chambre d'où, bien entendu, je les entends. Ils sont juste à côté. Je m'allonge sur mon lit, je ferme les yeux et j'imagine que je suis un espion qui s'est infiltré dans les services secrets nazis pour faire exploser la Bourse du travail.

Ça me fait du bien.

Jusqu'au moment où il faut que je fasse mes devoirs de français et d'anglais.

Les Français disent : *Je t'aime.*

Les Anglais : *I love you.*

Les Italiens : *Ti amo.*

Les Allemands : *Ich liebe dich.*

Et nous, les Hollandais : *Ik hou van jou.*

Je parie qu'Anne et Margot sont capables de le dire en latin et en grec, et de l'écrire en sténo ! Grand bien leur fasse. Ce n'est pas demain la veille qu'elles tomberont amoureuses d'un dieu grec ou d'un vieux sénateur romain !

Le jour où je sortirai d'ici, je ferai l'amour au plus grand nombre d'étrangères possible – une fille par pays (sauf l'Allemagne). Ou au contraire, si je retrouve Liese, je n'aimerai qu'elle, mais je le lui dirai dans toutes les langues.

J'ai fait la liste de ce que je ferai le jour où je serai libre :

Je gagnerai de l'argent.

Je mangerai ce que je veux.

Je porterai des vêtements différents tous les jours.

Je m'achèterai un chapeau mou.

Je ne serai ni juif ni chrétien ni quoi que ce soit ; je serai un homme, c'est tout.

Je fabriquerai des meubles. Je nagerai dans l'océan. J'aurai des chats. Je vivrai. Je ne chercherai pas à revoir ni les Frank ni Pfeffer... J'arrête, parce que pour l'instant il faut que je travaille mon anglais commercial. C'est ennuyeux à mourir.

Cargaisons. Transport ferroviaire. Voici la lettre que j'ai rédigée.

> Cher Monsieur / Chère Madame,
>
> I am please to inform you that we have requirement
> of one shipload of prophylactics, as requested.
> These are for your newly freed Jews. As you are aware,
> they are captive for years many now.
> And the need is quite high up, I believe. Please
> dispatch, forwith, the said sum.
>
> Yours faithfully,
>
> Peter van Pels

Il faut que je souligne chaque phrase qui me paraît particulièrement importante d'un point de vue professionnel. Je n'ai pas montré la lettre à M. Frank pour qu'il la corrige, mais je crois que je m'en suis bien tiré. Je la montrerai peut-être à Margot, ou peut-être pas.

Ça m'amuse de la voir rougir de temps en temps.

13 février 1944 – Altercation entre Peter et le docteur Pfeffer

Pfeffer me rend dingue. Il ne tient pas en place. On aurait mieux fait de le mettre en garde clairement : « Merci de ne pas choisir un espace trop étroit si vous avez la bougeotte. » Il ne peut pas s'empêcher de tournicoter et de tripoter le bouton quand on essaye d'écouter la radio, soi-disant pour améliorer le son, jusqu'à ce que je ne puisse plus le supporter.

– S'il vous plaît, vous ne pourriez pas arrêter ?

– J'arrêterai quand je le jugerai bon.

– Je doute que vous soyez capable d'en juger !

– Allez, Fritz, assieds-toi pour que nous puissions écouter la radio en paix ! est intervenu papa.

Maman lui a jeté un regard approbateur. Quant à moi, j'avais les yeux rivés au sol.

14 février 1944 – Anne et Peter
sont au grenier

Je suis allongé au grenier, profitant d'un rayon de soleil. Il fait froid ; tout est glacé et poussiéreux autour de moi. Sur ma gauche, le linge sèche. Pour me distraire, il m'arrive de changer les vêtements de place. Par exemple, j'accroche la culotte haute de maman à côté du caleçon de M. Frank. Ça m'amuse. Maman a horreur que le linge des deux familles se mélange.

J'essaie de me concentrer sur le soleil qui tape sur mon visage. D'oublier que l'été est encore loin. J'imagine que nous vivons toujours sur le Zuider-Amstellaan, au cœur de la Merwedeplein, et que je vais passer la journée à la plage. J'entends le roulement des vagues derrière moi ; je sens le sable sous mon corps. Le ciel est immense, dégagé. Bientôt, nous pique-niquerons, puis nous rentrerons en nous arrêtant à l'Oasis, le marchand de glaces préféré des enfants. Anne y allait tout le temps ; il y avait toujours un client pour lui offrir une glace ! Les gens l'adoraient. Ou alors je suis sur la plage de Zaandvoort et je fais la planche, dérivant sur la mer.

Léger comme une plume.

Quand elles sont avec moi, Anne et Margot imaginent qu'elles sont sur le toit plat de leur maison de la Merwedeplein. Anne prétend qu'elle est avec sa grand-mère. Margot, comme d'habitude, ne dit rien, elle médite. Souvent, je les observe côte à côte, si proches que leurs cheveux s'emmêlent. Mais, aujourd'hui, je suis seul.

– Peter ?

Je n'avais pas vu qu'Anne était là, dans le coin, en train de fouiller dans un carton de livres.

Depuis quelque temps j'ai remarqué qu'elle était moins

maladroite. À une époque, elle ne pouvait pas traverser une pièce sans se cogner ni renverser quelque chose.

– Oui ?

J'entrouvre les yeux, à peine. Le marronnier brille d'un éclat doré au-dessus de moi. Le soleil forme un halo autour de ses branches brunes. En automne, on dirait que les feuilles sont en or, comme des pièces. Ou rousses et, parfois, j'aperçois une feuille rougeâtre. Elles tombent de l'arbre par paquets.

– J'aimerais tellement en être capable, murmuré-je.

– De quoi ?

– De flotter librement dans l'air, comme les feuilles.

Je sens sa tête se poser à côté de la mienne, tout près. Elle est obligée. Le carré de soleil est très étroit.

– Sauf que ce sont des feuilles mortes, imbécile !

Je ferme les yeux. Ne réponds pas. La lumière du soleil réapparaissant à la fin de l'hiver est un tel plaisir. Magique. Hélas, nous ne sommes qu'en février et il fait encore trop froid pour rester allongés longtemps. Nous nous redressons.

– Si tu savais comme je le déteste, Pfeffer, par moments.

– Il n'est pas si épouvantable, répond Anne en souriant, mais c'est vrai qu'il est assez agaçant.

– Je regrette d'avoir été aussi désagréable hier, mais je… Parfois, ça sort plus vite que je ne le voudrais et je…

– Je connais.

– Pas du tout, tu n'es jamais en reste quand il s'agit de parler, toi.

– Justement, c'est pour ça que je parle à tort et à travers.

– Il m'énerve tellement qu'il y a des moments où j'ai envie de lui flanquer mon poing dans la figure ! Pourquoi tu ne le lui dis pas, Anne, peut-être que toi il t'écouterait ?

– Écoute, Peter, tu crois vraiment que… ?

J'en ai assez des questions. Silence. Épargnez-moi ! Tout ce que je demande, c'est le ciel, l'arbre et le soleil sur mon visage. Délicatement, je pose un doigt sur ses lèvres. Ses yeux s'ouvrent, immenses. Ses lèvres sont douces mais très sèches – presque gercées.

Pour une fois, elle n'ajoute pas un mot.

Nous regardons le petit carré de soleil se déplacer lentement sur le mur avant de disparaître. Elle pose la tête sur mon épaule. Je passe un bras autour d'elle. Elle est toute fine, comme un chat. Nous demeurons assis ensemble un long moment.

C'est agréable.

Je ne suis pas sûr que ce soit très sain de cultiver de tels souvenirs ici, dans le camp. On peut être jusqu'à cinq sur la même paillasse. Sans jamais la moindre chaleur. Car chacun est seul. Chacun lutte contre le destin pour gagner une heure supplémentaire. Un jour supplémentaire. Une nuit supplémentaire. Une vie supplémentaire. On y arrive en jouant des coudes. Ou, au contraire, en se serrant les coudes. Sauf qu'à la fin chacun est seul.

Comment pourrait-il en être autrement quand la mort vous guette ?

16 février 1944 – L'anniversaire de Margot

Ce matin, j'ai offert à Margot son cadeau d'anniversaire : un butoir de porte. C'était un cadeau pour rire puisqu'on n'a jamais besoin de garder les portes ouvertes, au contraire.

– Merci, Peter.

– J'espère que tu aimes bien parce que… j'espère que…

– Qu'un jour j'en aurai besoin ?

– Oui, ai-je répondu, soulagé.

Heureusement, Margot a toujours l'air de comprendre ce que je veux dire.

Anne n'a pas arrêté de traverser ma chambre pour monter au grenier. Une fois c'était pour aller chercher du café, ensuite des pommes de terre, et ainsi de suite.

– J'ai décidé de gâter Margot ! se justifie-t-elle alors que je la fusille du regard. Que veux-tu que je lui offre sinon ma peine ?

Vite, je me lève pour retirer mes affaires de l'escalier et cacher mes dessins. J'ai mis un certain temps à comprendre, mais j'en suis sûr. Anne s'est mis en tête de tomber amoureuse de moi. C'est Margot qui m'a mis sur la piste un jour où je me plaignais :

– Anne n'arrête pas de passer par ma chambre.

– Oh ! Je parie qu'elle se prend pour Deanna Durbin au volant de sa voiture de sport, priant pour qu'un nouvel homme ne tombe pas amoureux d'elle !

Soudain, elle a ajouté, gênée :

– Ce n'était pas très gentil. Pardon.

– Je t'en prie.

Pauvre Anne, enfermée dans ce misérable réduit avec Peter van Pels et rêvant qu'elle est une vedette de cinéma !

Je ne me fais aucune illusion. Si nous n'étions pas prisonniers dans l'Annexe, elle ne m'accorderait pas le moindre
regard. Je me souviens de l'anniversaire de ses onze ans. J'en
avais treize. Je lui avais offert des chocolats et elle m'a remer-
cié en regardant par-dessus mon épaule pour voir qui était le
nouvel arrivant à la porte.

Je suis un peu perdu, parce que j'avoue que c'était agréable,
l'autre jour, quand on était allongés l'un contre l'autre au
grenier... en plus, c'est réconfortant d'avoir quelqu'un à qui se
confier. Sauf que... il y a un problème. Moi. Je ne suis pas sûr
d'avoir envie d'être l'amoureux-cobaye d'Anne.

— Tu veux que je ferme la trappe ? me demande-t-elle en
montant.

— Oui, vas-y, en revenant tu n'auras qu'à frapper et je te
rouvrirai.

Elle attend que je lui propose de monter avec elle.

J'hésite.

Dix minutes au moins passent. Elle doit avoir atrocement
froid.

Espère-t-elle vraiment que je vais y aller ?

J'ai des doutes.

J'attends qu'elle redescende.

— Pardon, lance-t-elle d'un air détaché. Ça m'a pris un
temps fou. J'ai cherché longtemps, mais je n'en ai pas trouvé
de plus petites.

Je lui retire la casserole des mains et je regarde. Les pommes
de terre ont la taille d'œufs de poule. Minuscules ! Elle grelotte.

— Elles sont très bien, je réponds en souriant.

Mais en voyant ses yeux pleins d'espoir, je comprends que
je n'ai pas su trouver les bons mots.

J'aurais aimé être capable de lui dire : « Ne t'inquiète pas.
Je connais ce sentiment, avoir besoin d'aimer, se languir pour
quelqu'un. » Je lève les yeux, mais elle a disparu.

Peu après, elle revient. Cette fois-ci, elle exagère. Je l'arrête et lui propose de monter chercher les patates à sa place. Nous nous disputons. C'est elle qui gagne. Je la laisse passer. Je m'assieds à mon bureau et fixe les marches raides, conscient qu'elle m'attend.

Je ne monterai pas. Je ne veux pas. Je ne peux pas.

– Je peux jeter un œil sur tes devoirs ? me demande-t-elle quand enfin elle redescend.

Elle rejette ses cheveux en arrière, incline la tête de côté et m'offre un sourire de star. Je lui souris en retour. Elle s'assied sur mon lit. Je ne bouge pas de mon bureau.

Je discute, de tout et de rien : de la vie à la maison autrefois, des bons petits plats de maman, du jardin. C'est étrange. Elle arrive à me faire parler comme personne. Je lui confie ce que je pense de la guerre. La Russie et l'Angleterre finiront par être ennemies – ce n'est pas possible autrement, les deux pays sont trop différents.

– Nous, les Juifs, tout le monde pense qu'on est différents et on l'est, dit-elle.

– Pas forcément.

– Comment ça ? répond-elle sur un ton si horrifié que je rougis.

– On pourrait être de n'importe quelle autre religion, tu ne penses pas ? Par exemple, j'aurais pu naître chrétien.

– Tu aurais aimé ?

– Ce n'est pas le problème ! Ce n'est pas ce que je voulais dire. C'est plutôt que, disons... pourquoi être ceci ou cela ?

– D'accord, mais à quelle communauté pourrais-tu t'iden-tifier ? Au nom de quoi est-ce que nous nous battons si nous sommes tous pareils ?

– On n'est pas tous pareils ! Regarde, on est tous les deux juifs et on est très différents, non ? Ceci dit, je ne vois pas en quoi c'est important qu'on sache que je suis juif ou non, en tout cas une fois que la guerre sera finie.

– Mais pourquoi faudrait-il que tu mentes ?

– Il ne s'agit pas de mentir, il...

Ce n'est pas comme lorsque je réfléchis tout seul, ou quand je me confie à Muschi. Je suis incapable de lui expliquer. Je suis à court de mots.

– Oh, les Juifs ont toujours été le peuple élu et ils le resteront toujours ! je lui concède, en colère.

– Oui, et j'espère que pour une fois ils seront élus pour leur bien ! s'exclame-t-elle.

Elle rit. L'instant passe. Elle recommence à parler, sérieuse, mais j'aime bien. J'écoute sa voix comme si j'écoutais la mer grondant sur le sable à Zaandvoort.

– Tu as peur, Peter ?

Ai-je peur ? Oui. Ça m'arrive. J'ai vraiment eu la frousse le jour de la tentative de cambriolage. Mais, en général, je n'ai pas peur. Pas de ça. J'ai surtout peur de ne jamais comprendre comment ça a pu arriver – ni pourquoi. Surtout, j'ai peur de moi. De pensées qui traversent mon esprit et qui me déstabilisent. C'est ce que je lui explique.

Mais au fond qu'en sais-je ?

Oui, j'avais raison d'avoir peur. Car nous devrions tous avoir peur de nous connaître.

Les amants le savent ; ils l'apprennent par le plaisir. Nous, nous l'avons appris par la douleur : notre corps est plus fort que notre esprit. Notre corps lutte pour la vie qui est en lui jusqu'à la mort, quoi que nous aimions à penser de nous-mêmes.

17 février 1944 – Anne est dans la salle de séjour des Van Pels, exprimant ses sentiments

En ce moment, Anne passe son temps chez nous. Je l'entends souvent de l'autre côté de la porte, qui fait la lecture à maman.

– Incroyable ! s'exclame maman. Tu as inventé ça toute seule ? Ou c'est un rêve ?

– En fait, c'est ce qu'on appelle la personnification. Comme dans les mythes grecs, où les fleuves, les arbres, n'importe quoi représentent des dieux, sauf que, chez moi, ils représentent des idées ! Dans le rêve d'Eva, par exemple, la rose incarne l'arrogance et la clochette la pudeur !

– Et qu'as-tu fait de nous, coquine ?

Anne reprend sa lecture. Maman éclate de rire et Anne s'arrête et glousse elle aussi. Je suis curieux de savoir pourquoi.

– Si je comprends bien, dans cette histoire, nous, les Van Pels, nous sommes les ventres, et vous, les Frank, vous êtes les cerveaux !

– Oh, pardon ! s'écrie Anne. Je ne voulais pas...

– J'aime bien quand tu lis, dis-je en déboulant soudain dans la pièce.

Cette fois-ci, c'est moi qui la fais rougir.

– Attends, répond-elle en se précipitant en bas.

Maman lève un sourcil complice vers moi. Deux secondes plus tard, Anne est de retour. Nous allons tous les deux dans ma chambre.

– Écoute ça ! annonce-t-elle avant de poursuivre sa lecture[1].

Elle lit avec une telle douceur, une telle clarté, que je suis sûr que c'est elle qui a écrit l'histoire. Je reconnais ses mots, sa

---

1. En réalité, Peter a lu l'histoire tout seul.

façon d'enchaîner les événements. J'appuie ma tête sur mon bureau et j'écoute. C'est l'histoire d'une fillette, comme elle, assise sur un banc dans un jardin. Un garçon arrive. Je rougis, heureusement que mon visage est caché par mon bras. Le garçon a dix-sept ans. Tous deux engagent la conversation :

« Tu trouves que j'ai l'air de quelqu'un à qui les gens auraient peur de s'adresser ? demande la fillette. – Sûrement pas, maintenant que je te vois mieux ! répond le garçon. »

Elle est en train d'écrire sur nous ! Le garçon, c'est moi, j'en suis certain. Elle continue sa lecture. Je reconnais des gestes, des paroles, des traits qui m'appartiennent, des moments que nous avons partagés. Tout est repris, mêlé, métamorphosé sous sa plume. La fille et le garçon parlent de Dieu. Les questions, les doutes, ce sont les miens. Les réponses, les certitudes, ce sont celles d'Anne. Heureusement que je ne lui ai pas fait part de mes angoisses les plus profondes. Au sujet de Dieu.

– Peter ?

Elle attend que je réagisse. Mais que dire ? Lui avouer la vérité ? Que j'ai l'impression qu'elle m'a volé une partie de moi ?

– Peut-être que Dieu est aussi une forme de personnification, tu ne penses pas ? je lui suggère.

Elle n'écoute pas. Elle a les yeux grands ouverts, brillants, avides. J'hésite, je n'ai rien à dire si ce n'est : « J'aurais préféré que tu t'abstiennes et que tu ne fasses pas de moi un personnage, parce que je ne pourrai plus te parler sans me méfier. » Mais je ne peux pas, je ne peux pas la décevoir alors qu'elle me dévisage avec un tel enthousiasme, persuadée que je suis ravi.

– Tu as un nombre d'idées, c'est fou ! s'exclame maman qui vient d'apparaître à la porte. Je suis étonnée que tu aies encore tous tes cheveux ! Je comprends pourquoi ils sont tellement frisés !

Je jette un coup d'œil discret à maman pour la remercier. Elle a tout compris.

– Je voulais que tu saches que je n'écris pas seulement pour être drôle, se justifie Anne. Je sais aussi être sérieuse quand il le faut !

D'accord, mais je me sens mal à l'aise, comme si le lecteur pouvait m'arracher de la page. Découvrir ce qu'elle pense de moi alors qu'il n'aurait pas idée de ce que je pense réellement. Je ne suis pas sûr qu'Anne mesure la portée de son geste. Tout ce que je sais c'est qu'elle sourit poliment et sort.

Tant mieux, je suis soulagé.

23 février 1944 – Anne et Peter
passent de plus en plus de temps ensemble

Le soleil brille. Tous les matins, je monte au grenier pour en profiter, et souvent Anne me rejoint. Nous nous asseyons là où les rayons filtrent et j'aime : le calme. Le silence. Jouir de l'instant. Si je n'étais pas prisonnier dans cette cachette, je n'aurais peut-être jamais apprécié le bonheur que peut vous apporter un arbre, un seul. Ou un petit carré de soleil. Ou le miroitement des gouttes sur une branche. Ce qui ne change rien au fait que plus tard je peindrai des paysages entiers d'océans et d'horizons infinis !

Au bout d'un moment, je me lève et je m'étire, il faut que j'aille couper du bois pour le poêle. Anne me suit. Au secours ! Elle va recommencer à jacasser ! Mais pas du tout, elle me regarde travailler sans un mot, tellement silencieuse que je finis par oublier sa présence.

J'adore couper le bois. J'adore la concentration que ça demande. J'adore tâter la fibre, réfléchir avant de savoir où attaquer, évaluer la force du coup et frapper pile au bon endroit. À angle droit ou de biais, quelle que soit la meilleure façon de fendre la bûche. J'aime aussi la courbe que décrit la hache. Quand je suis particulièrement énervé, j'imagine que je taille en pièces nos ennemis et ça me soulage. Tout à coup je me souviens qu'Anne est à côté de moi et je lui confie :

– Tu sais, il y a des jours où j'imagine que je suis dans une forêt, devant une cabane et que je coupe mon bois…

Elle sourit et nous regardons par la fenêtre au-delà des toits de la ville, jusqu'à la mer.

– Le bonheur…, je murmure en fermant les yeux.

Elle acquiesce, muette, et je suis surpris. Surpris qu'elle sache s'exprimer sans paroles.

Et se contenter de si peu.

26 février 1944 – M. Frank est préoccupé

– S'il te plaît, papa, il fait un temps magnifique !

– J'ai dit non, Anne, répond son père, d'une voix douce.

Si j'étais elle, je laisserais tomber car il a l'air très décidé.

– S'il te plaît, insiste-t-elle en faisant la moue et en plissant les yeux.

– Non.

– Mais pourquoi pas ?

– Parce que, même si le soleil brille et si aucun de nous n'en a envie, tes devoirs t'attendent.

– Mais je travaille tous les jours. Même dans l'Annexe, alors que si ça se trouve c'est peine perdue.

– Anne ! la reprend sa mère.

– Justement, renchérit son père, parfaitement calme. Nous avons justement besoin d'activités auxquelles nous accrocher. Allez, assieds-toi et reprends tes devoirs.

Anne soupire, exaspérée et, soudain, file en trombe. Elle n'a pas vu ses parents échanger un sourire en douce.

– Il faut que je monte voir si je peux laisser sécher nos vêtements un peu plus longtemps, annonce Mme Frank.

– Que ferait-on sans toi, Edith ? répond son mari en lui tapotant tendrement l'épaule.

Quant à moi, je retourne dans ma chambre. J'ai envie de faire le portrait de M. Frank. Ça fait longtemps que l'idée me trotte dans la tête, mais je n'ai jamais eu le courage de m'y mettre. Je ne suis pas sûr d'arriver à saisir son expression. Peut-être que si je m'allongeais un moment en me remémorant ses traits, je trouverais la méthode pour dessiner son visage.

– Peter ?

J'ouvre les yeux et qui vois-je ? M. Frank !

Vite, je me redresse. Il n'aime pas que je paresse sur mon lit pendant la journée.

– Pardon, je...

– Je suis désolé de te déranger, mais j'aurais voulu te parler. Ça ne t'ennuie pas ?

Je secoue la tête. Il a fermé la porte de ma chambre. Tout est silencieux. Personne ne peut nous entendre. De quoi veut-il bien me parler ?

Si, je sais.

– Anne, dit-il.

Son visage respire la bonté. Il a de grands yeux sombres et un regard brillant de curiosité, comme sa fille.

– Nous vivons une situation particulièrement difficile, Peter, poursuit-il, tu ne peux pas dire le contraire, n'est-ce pas ?

Silence.

– Anne est très jeune, reprend-il, et très volontaire.

Soudain nous éclatons de rire.

– Jamais je...

– Je ne suis pas là pour vous accuser, ni toi ni Anne. Je suis venu pour discuter avec toi, réfléchir. Le problème, c'est que nous vivons dans un espace tellement exigu que vous, les jeunes, vous n'avez guère le choix. Il ne s'agit pas seulement d'Anne, Peter. Il s'agit aussi de Margot, et elle... elle... elle n'oserait jamais chercher à se faire... remarquer, contrairement à sa sœur.

Je hoche consciencieusement la tête.

– Ça fait donc deux jeunes filles et un garçon, toi.

Je pique un fard.

– Alors... tu vois ce que je veux dire ?

– Oui.

– Peut-être pourrais-tu y réfléchir un peu ?

– Je... monsieur... monsieur Frank... je pense que pour Margot je suis un peu comme un frère.

– Mmmm, si tu sais ce qu'elle pense, dans ce cas-là, tu es beaucoup plus perspicace que nous tous.

Je me demande si je devrais lui dire à quel point sa fille est avide d'en savoir plus sur le corps des hommes, ou à quel point nous sommes heureux quand nous sommes assis ensemble au grenier pour profiter du petit carré de soleil. A-t-il jamais connu ça, lui, cette angoisse à l'idée de ne jamais faire l'amour à une fille ?

– Et Anne ? demande-t-il.

– Anne ? Elle rêve qu'on l'adore ! Or, je suis le seul garçon.

M. Frank s'esclaffe.

– Oh, je ne me fais pas d'illusion, elle ne m'aurait jamais remarqué si on n'était pas enfermés ici ensemble.

– Tu n'as aucune vanité, Peter ! C'est une qualité très rare.

– Merci. Monsieur Frank ?

– Oui ?

– Merci de nous avoir proposé de nous cacher avec vous.

Surpris par mon ton solennel, j'ajoute aussitôt :

– Je ne voudrais pas commettre le moindre faux pas qui puisse vous... froisser.

– Je te fais confiance, je sais que tu n'en as aucune intention, Peter, mais à ton âge, le corps a ses raisons qui sont parfois plus fortes que notre volonté. Anne a quatorze ans à peine, même si elle se croit toujours plus âgée. En outre, sache-le, elle n'est pas toujours bienveillante.

– Je... ne...

– Je crains qu'elle ne résiste pas à une occasion de se vanter devant sa sœur. Or, elles ont déjà manqué tant de choses, toutes les deux. Mais pour Margot, avoir à affronter ça... disons que...

– C'est compliqué.

– Exactement. Voilà pourquoi je préférerais que vous

restiez simplement amis tous les trois. C'est aussi pour ton bien, Peter.

– Monsieur Frank ?

– Oui ?

– Est-ce que vous resterez juif après la guerre ?

Soudain, il se fige.

– Remarque, l'idée d'avoir le choix est déjà une bonne chose ! lance-t-il avant de disparaître dans l'escalier.

J'ai mis un certain temps à me rendre compte qu'il n'avait pas répondu à ma question.

27 février 1944 – Peter et Anne discutent au grenier

M. Frank a sans doute raison. Nous ferions mieux de nous voir moins souvent, mais c'est difficile. Le problème, c'est qu'on parle, on parle... On ne peut plus s'en passer. C'est une vraie drogue. Maman pourrait peut-être me mettre en garde comme elle le fait pour papa avec ses cigarettes. Mais papoter, échanger des ragots, c'est irrésistible. Hier soir, nous avons passé des heures à parler de Pfeffer – une fois de plus – parce que nous ne pouvons pas le souffrir.

– Il a la bougeotte !

– Je sais.

– Il faut toujours qu'il tripote un truc avant de le changer de place. Beurk !

– En plus, il a toujours raison.

– Et cette espèce de fossette qu'il a sur le menton – si je pouvais je planterais une aiguille en plein dedans.

– Quand il parle, ça me donne des boutons, comme si j'avais des puces. Du coup, je sors de la pièce.

– Tu te rappelles quand Muschi avait des puces ?

– Il passe un bon quart d'heure à prier tous les jours ! Et parfois, il faut que je me coltine son dos nu. Répugnant !

Anne ricane en imitant le ronflement de Pfeffer la nuit. Reniflant, comme un animal. Trop intime. Gêné, je me redresse.

– Peter ?

– C'est dégoûtant que tu sois obligée de partager ta chambre avec lui.

– Pourquoi ? répond-elle en haussant les épaules, les bras enroulés autour des genoux.

Je souris parce qu'elle me rappelle Muschi quand il attend que je le caresse.

– Tu n'es plus une gamine !

– Tu crois ? répond-elle en rejetant ses cheveux en arrière.

« Si, c'est une enfant », résonne en moi la voix de son père. Je viens de remarquer qu'elle a fait un effort pour se coiffer et a relevé ses cheveux comme les stars de cinéma sur les murs de sa chambre. Elle attend, me coule de longs regards, brillants de désir.

– Non, tu n'es plus une petite fille.

Elle rejette la tête en arrière et me lance un regard en coin. Trop tard. Quelque chose en moi est touché.

Je lève les yeux : elle a arrêté de poser. C'est elle, Anne.

– Peter ?

– C'est rien.

Non, c'est faux, c'est tout… c'est… Liese. C'est le son de sa voix murmurant mon nom, le souvenir de son corps dansant dans mes rêves. Le poids de sa tête rasée entre mes mains. Le fracas des roues du train sur les rails. Tout ce que je ne pourrai jamais dire, tout ce qui m'empêche de croiser le regard d'Anne.

Elle sourit. Sans doute pense-t-elle que je suis séduit par son petit jeu. Sa beauté. Son esprit. Peut-être. Je ne sais plus. Je ne veux plus l'avoir devant moi, c'est trop douloureux. J'ai envie d'être seul. Ou avec Muschi. N'importe où sauf ici – avec Anne.

– Il vaudrait mieux qu'on descende, annoncé-je le plus délicatement possible.

Elle se décompose sur-le-champ. Puis se reprend et trouve les mots pour le dire :

– Tu es un garçon bien, Peter.

Je lui tends la main pour l'aider à se lever. J'ouvre la trappe et la précède pour la protéger.

– Merci, dit-elle en arrivant en bas, telle une grande dame.

Au dernier moment, elle se retourne en affichant un

superbe sourire. Un sourire étudié, un sourire destiné à un parterre de photographes avant d'être offert au monde entier.

Quel gâchis ! Non seulement j'en suis le seul témoin, mais je ne sais qu'en faire.

Suis-je bon ?

Suis-je un garçon bien ?

Je ne saurais le dire.

Je ne saurais plus rien dire.

Les souvenirs sont aussi une forme de drogue. Ils se répandent. Comme du frai de grenouille. Ils se multiplient. Comme des rats. Comme nous, s'imaginaient les nazis. Nous étions nus face à eux. Non pas nus comme l'espoir, mais nus comme la perte. Ils ne nous ont pas seulement dépouillés de nos vêtements quand ils nous ont déshabillés, ils nous ont dépouillés de notre être. De ça aussi, il faut témoigner.

Dites-moi.

S'il vous plaît dites-moi.

Vous êtes là ?

Vous écoutez ?

Allez-vous vous détourner de moi ?

Ou le supporterez-vous – comme je dois le supporter ?

29 février 1944 – Nouveau cambriolage

Papa est d'une humeur de chien.

– Peter ?

– Oui ?

– Qu'est-ce qui t'a pris de laisser une pagaille pareille en bas ?

– Comment ça ?

– Tu ne pourrais pas faire correctement tes deux ou trois corvées quotidiennes ?

– Mais je les fais correctement !

– Tu trouves ça raisonnable de laisser le bureau dans un tel état ? Avec les portes ouvertes ?

– Mais pas du tout !

– Et en plus, tu mens. La porte principale est verrouillée, alors qui d'autre ça peut être ?

– Je ne sais pas. Tout ce que je peux te dire c'est que j'ai aidé Bep au bureau, mais on a tout laissé en ordre.

Soudain, maman débarque, les bras pleins de linge propre.

– Si Peter te dit qu'il l'a fait, c'est qu'il l'a fait, me défend-elle.

– Et si la logique la plus évidente te prouve le contraire, tu persistes à être aveugle !

– Quand il s'agit de mon fils, oui, si j'ai envie, je persiste. Justement, tu ne pourrais pas fermer l'œil sur deux ou trois détails de temps en temps, non ?

– Pour l'ouvrir et découvrir quoi, j'aimerais bien savoir ? Une pièce sens dessus dessous, et si ça se trouve une gamine sens dessus dessous !

– Hermann !

– Papa !

– Je dis tout haut ce que tout le monde pense tout bas. Tu crois que personne n'a rien remarqué ? Cette gamine te suit comme un toutou. À mon époque, les filles avaient un minimum d'amour-propre.

– Qu'est-ce que tu en sais, des filles et de l'orgueil ? rétorque maman en pliant son linge avec rage. Tu crois que l'orgueil a sa place en amour ? Tu crois qu'il reste de la place pour le rêve entre ces quatre murs ? Tu as oublié ce que c'est que d'avoir du désir, sauf quand il s'agit de tes cigarettes.

– *Ach !* S'il suffisait qu'un homme renonce à quelques bonnes bouffées pour résoudre les problèmes du monde !

Je préfère quitter la pièce. Ce genre de querelle peut durer des heures…

– Tu vois ! Un jour, à cause de toi, il partira et il ne reviendra plus.

– Où ? Où veux-tu qu'il aille, Auguste ? Nulle part, si ce n'est la porte à côté, tête de linotte !

– Je t'interdis de me traiter de tête de linotte, espèce de… de… vieux schnock.

Plus tard au dîner, Anne essaie de croiser mon regard tandis que Margot a le nez dans son assiette. M. Frank nous observe tous les trois. Dès que je peux, je me lève de table et remonte dans ma chambre. Je tourne comme un lion en cage. J'essaie d'aspirer un peu d'air frais à la fenêtre. Je m'assieds et commence à dessiner. Le portrait de M. Frank. J'ai beau faire, je n'arrive pas à saisir son expression. Son visage m'échappe. J'abandonne.

Le soir, j'ai du mal à m'endormir, je suis trop énervé. Puis je me réveille aux aurores, attendant que l'obscurité totale se mue en pénombre. Toutes sortes de pensées se bousculent dans mon esprit : « Pourquoi nous ? Pourquoi faut-il que nous soyons enfermés ici ? Pourquoi papa ne me fiche-t-il pas la paix ? Pourquoi passent-ils leur temps à se chamailler – et presque toujours à cause de moi ? »

Peu après, je me lève. J'ai décidé d'aller vérifier moi-même l'état du rez-de-chaussée. Je descends sur la pointe des pieds. L'Annexe est plongée dans le silence. C'est un de ces instants où la guerre semble abolie.

Un léger courant d'air vient caresser mon visage. Je m'arrête au milieu de l'escalier pour goûter cette douce brise, écouter le souffle du vent dans les branches du marronnier – jusqu'au moment où je comprends. La porte d'entrée en bas des escaliers est ouverte ! Voilà d'où vient le courant d'air ! Quelqu'un est entré dans le bâtiment. D'où cette fameuse pagaille ! Vite, je vais voir dans le bureau : le porte-documents de M. Kugler a disparu, de même que l'appareil de projection.

Je me précipite en haut pour prévenir M. Frank. Qui me renvoie sur-le-champ refermer la porte à clé. Je suis terrifié. Et si je tombais sur l'intrus ? Si je cédais à la tentation de jeter un coup d'œil dehors, ou pire encore, de faire un saut dans la rue – une seconde, une toute petite seconde ? Qu'est-ce que je risque ? Je pourrais avoir un aperçu de la rue entière, pas seulement un fragment brillant de l'autre côté de la vitre. Mes yeux ont besoin de voir une perspective complète, comme mon corps a besoin d'avoir un repas complet.

Lever le regard et contempler l'immensité du ciel.

Non, c'est trop dangereux. Vite, je claque la porte et ferme le verrou. Plus un geste. Je tremble des pieds à la tête. J'entends des bruits de pas de l'autre côté. À quelle distance ? Si j'avais osé, si j'étais descendu dans la rue, m'auraient-ils vu ? Était-ce des Allemands ? Des Hollandais ? M'auraient-ils trahi ? Ou auraient-ils eu pitié de moi ? Impossible à dire.

Je remonte.

Tout le monde est rassemblé dans la cuisine, sauf que ça n'est pas encore tout à fait la cuisine puisque papa et maman sont encore dans leur lit.

– Nous avons décidé de réunir tout le tribunal ! annonce papa, appuyé sur un coude. Une question pour le roi et la reine ?

– Un inconnu est entré dans le bureau, répond Anne. Le

porte-documents de M. Kugler a été volé et l'intrus a sans doute flairé notre présence.

– Ton père a une précision à ajouter, Peter, dit maman.

– Manifestement, tu n'étais pas responsable du désordre du bureau.

– Donc ? ajoute maman.

– Donc je t'ai accusé à tort.

– Et tu es ? continue maman.

– Je ne suis pas un gamin !

– Dans ce cas-là, excuse-toi et arrête de te comporter comme un gamin !

– Ça va, dis-je, mais pourquoi le verrou était-il ouvert ?
Plus personne ne bronche.

– J'ai dû les déranger en descendant hier soir, finit par suggérer papa.

– Ils savent qu'il y a des gens qui se cachent, non ? demande Anne, très calme, pâle comme la mort.

– Ne t'inquiète pas, nous sommes là, la rassure sa sœur en passant un bras autour de son épaule.

– Plusieurs personnes sont au courant de notre présence ici, Anne, répond son père. Les personnes sur qui nous comptons pour nous apporter des victuailles et pour nous protéger.

– Mais personne à qui tu fais confiance n'irait voler le porte-documents de M. Kugler.

– Et comment l'autre porte a-t-elle été fermée hier soir ? ajouté-je.

– Par quelqu'un qui avait la clé, répond M. Frank. Il faut qu'on attende que les employés arrivent pour enquêter. D'ici là, mangeons un petit quelque chose, ça nous fera du bien.

Tous les regards se tournent vers maman.

– Que se passe-t-il ? demande-t-elle.

– Euh... disons que..., bredouille M. Frank.

– Disons que, si vous quittez la pièce, je pourrai me lever

de mon lit et préparer le petit déjeuner dont tout le monde rêve.

Tous se réfugient dans ma chambre en attendant. Soudain, le docteur Pfeffer pète. Anne et Margot ricanent.

– Franchement ! s'exclame Mme Frank, outrée.

– Le petit déjeuner est prêt ! annonce maman, et tout le monde se précipite dans la cuisine.

Anne est cramoisie à force de s'empêcher de respirer. Je croise son regard et soudain nous éclatons de rire. M. Frank est furieux.

– Anne ! lance sa mère à mi-voix. Tu ne pourrais pas laisser Peter tranquille, pour une fois ?

Elle se fige illico. Pire que si elle avait reçu une douche froide.

– Anne, murmuré-je. (Elle se retourne vers moi, blanche comme un linge.) Tu pourrais m'aider à terminer des mots croisés après le petit déjeuner ? Tu me connais, je ne suis pas fichu d'en finir un seul jusqu'au bout !

Enfin elle sourit, rejetant ses cheveux en arrière et fusillant sa mère du regard.

– D'accord, dit-elle.

– Viens aussi, Margot, ajouté-je en voyant l'air inquiet de M. Frank. Mais tu me promets que tu nous laisseras un minimum de temps pour trouver les réponses, d'accord ?

Margot hoche la tête avec un sourire adorable. Je suis épuisé. Hélas, nous sommes en semaine, je ne peux donc pas aller me réfugier dans l'entrepôt avec Moffi. En plus, il faut que je reste pour prendre mon petit déjeuner – si on peut l'appeler ainsi : ersatz de café, pain avec noisette de beurre minable, et confiture. De la confiture à volonté. Tellement de confiture que je suis étonné qu'on n'en produise pas nous-mêmes. C'est peut-être pour ça que Pfeffer pète autant. Dommage que ça ne sente pas la fraise.

J'entends des bruits de pas à l'extérieur de l'Annexe, des bruits de pas de plus en plus proches, qui s'arrêtent devant la porte. L'inconnu doit avoir des doutes. Se poser des questions. Il monte l'escalier et pénètre dans le bureau quand il n'y a plus personne. Entend papa rouspéter tout bas à cause du désordre.

Quelqu'un se doute que nous sommes cachés ici.

Quelqu'un est sur le point de découvrir...

Plus tard le même jour

Il a fallu que j'attende le début de la soirée pour descendre dans l'entrepôt. Je me suis assis contre le mur et j'ai fermé les yeux. Je n'avais pas envie de dessiner ni de graver du liège, rien, si ce n'est être seul et méditer dans le noir.

« J'ai failli sortir. »

« J'ai vu la lumière du jour. »

Nous vivons dans la pénombre. Nous y sommes tellement habitués qu'en été, quand nous montons au grenier, nous sommes aveuglés. Peu à peu, notre vue s'est adaptée, à tel point que nous voyons mieux dans le noir qu'en plein jour. À tel point que je me demande si nous ne deviendrons pas définitivement aveugles si jamais nous sommes libérés. Peu importe, pour l'instant nous vivons à tâtons dans l'obscurité, et dès qu'il y a de la lumière nous disparaissons, comme les cafards auxquels ils nous comparent.

– N'est-ce pas, mon petit Muschi ?

Heureusement qu'il est là, mon petit chat adoré. J'ai tellement besoin de sentir sa chaleur contre moi, ici, dans le noir, au milieu de l'odeur qui se dégage des tonneaux et du calme. Tout ça n'est pas très viril, me direz-vous. Peut-être, mais je m'en fiche. Ne pas se battre n'est pas très viril. Être tapi comme une bête en attendant qu'on vous tire dessus n'est pas très viril. Ne même pas avoir de plan de fuite n'est pas très viril. Rêver à Liese et faire comme si mes mains étaient les siennes, j'imagine que ça n'est pas non plus digne d'un homme. Voilà ce qui arrive quand on est condamné ainsi. Tout ce qui compte, tout ce qui a du sens ailleurs, ici n'en a plus. Les règles du jeu sont autres, et ce jeu se nomme « survie ».

– N'est-ce pas, mon petit Muschi ?

Brusquement je m'assieds. Je viens de me rendre compte que j'arpente l'entrepôt avec mon chat qui va et vient entre mes jambes depuis je ne sais combien de temps.

Survie.

Ça demande une qualité plus importante que toute autre : la fierté. M. Frank, par exemple, reste fier parce qu'il croit dur comme fer que tout va se dénouer de façon heureuse. Que d'une manière ou d'une autre nous survivrons. J'en suis moins sûr. En tout cas, quand j'y pense tout seul dans l'obscurité.

– Tu n'es pas d'accord, Muschi ?

Je me demande si M. Frank regarde par la fenêtre de temps en temps. Les Juifs sont de moins en moins nombreux. Nous sommes comme de l'eau disparaissant dans une bonde. Bientôt, il ne restera plus un seul Juif. La baignoire sera vide.

Pour eux, peu importe que je me considère comme juif ou non. Que je sois croyant ou non, pratiquant ou non. La seule chose qui compte à leurs yeux c'est que dans mon sang coule une goutte qui suffit à infecter toute ma personne.

– Qu'en dis-tu, Muschi ?

Le temps passe si lentement. Soit on est déprimé et on ne sort plus de son lit, soit on se lève. Et on travaille. Dessiner, écrire, lire... comme si l'avenir nous tendait les bras. Hélas, impossible d'échapper aux questions qui se posent. Et ça, il vaut mieux se les poser seul, croyez-moi. Margot l'a tout de suite compris, elle qui ne fait jamais part de ses angoisses à personne. Quant à moi, je suis trop lent pour pouvoir me mêler à la conversation à temps. Contrairement à Anne, bien entendu, qui exige que tout le monde écoute ses questions et, chaque fois, tout le monde est bouleversé, chacun y va de ses arguments et nous en revenons aux mêmes discussions. Maman s'emporte et devient rouge comme une pivoine. La mère d'Anne se raidit, rabroue sa fille et donne son point de vue, telle la Pythie. M. Frank soupire, accablé, comme s'il était prêt à frapper tout le monde en même temps, et papa essaie d'alléger l'atmosphère en lançant une de ses vieilles blagues éculées.

Dans ces conditions, je préfère garder mes questions pour moi. J'en ai tant ! La guerre finira-t-elle un jour, et si elle finit, combien serons-nous à survivre ? Si les Alliés sont sur le point de l'emporter, les nazis vont-ils tous nous éliminer ? Comment croire que Dieu nous a réservé un tel sort ?

Pourquoi ?

Je n'ai pas de réponses. Peut-être parce que je suis moins intelligent qu'Anne, Margot, ou Liese. Je ne me pose que des questions sans réponses. Un jour, ne serons-nous plus que des êtres de papier ? Comme dans les histoires d'Anne ? Ou pire encore, l'histoire qui survivra sera-t-elle celle des nazis – nous n'étions donc bons à rien sinon à être éradiqués de la terre ?

Comment ?

Comment qui que ce soit a-t-il pu oser ?

3 mars 1944 – Peter se souvient

Il neige. Je suis au grenier, j'attends Anne et je contemple les branches du marronnier entièrement blanches. Des étoiles scintillent au loin. La nuit est d'un bleu étrange et clair. Toute ma vie je pourrai peindre mais jamais je n'obtiendrai un bleu aussi obscur. Aussi profond. Aussi beau. Jamais je ne pourrai reproduire ces étoiles, tels des petits trous de lumière au milieu de la nuit. Même Van Gogh n'y parviendrait pas. Je me souviens de la neige qui crissait sous mes pieds. Je me souviens que je lançais des boules de neige. Quand il avait trop neigé, il n'y avait pas école. Nous nous divisions en bandes sur toute la Merwedeplein et nous organisions des batailles de boules de neige. Nous nous cachions dans les buissons et dans les arbres. Cheveux mouillés. Joues rouges. Air tellement glacial que la vapeur que nous soufflions se solidifiait et prenait certaines formes. J'observe les branches. Si seulement les cloches pouvaient sonner. Anne a raison : comment pourrons-nous savoir que nous sommes libres si elles ne sonnent plus ? J'aimerais tellement sentir la neige sur mon visage. La neige qui ensevelit tout. Qui nous ensevelit. Un jour peut-être, le monde connaîtra le dégel et nous partirons d'ici, emportés par la fonte.

Peut-être.

La neige.

Plus jamais je ne pourrai l'admirer et la trouver aussi belle qu'autrefois.

La neige à Auschwitz était atroce. Si froide que nous dansions sur place. Puisions dans une énergie que nous n'avions pas. Mon souffle était brûlant sur mes caries. Nous étions debout dans la neige, vêtus de pyjamas trop fins, à toute heure, jour après jour. Sans le moindre espoir d'amélioration. Chaque jour était aussi redoutable que la veille. Il n'existe pas de mot pour dire le froid d'Auschwitz.

Et pour clore le tout : les baraquements, les coups, la soupe liquide, et une nouvelle journée sans savoir si on survivrait ou si on mourrait.

En redoutant la seleckcja.

Sachant que l'ordre allait tomber. Chaque matin. Envahissant nos demi-rêves, notre demi-sommeil, nous ramenant au cauchemar qu'est notre vie.

Wstawać.

Debout.

7 mars 1944 – Peter est avec Anne

– Peter! s'exclame Anne, heureuse, les yeux brillants. Tu n'es pas d'accord avec moi?

– À quel sujet?

– Au sujet d'une discussion que j'ai eue avec maman. Elle n'arrête pas de dire qu'on devrait penser aux autres pour qui la vie est tellement plus dure.

– C'est vrai que parfois ça aide.

– Ah, bon? Dans ce cas-là, pourquoi passes-tu autant de temps à observer le ciel? Pourquoi est-ce que tu travailles le bois en prenant tellement de plaisir à le faire dans les règles de l'art?

Je souris.

– Arrête de sourire! Réponds-moi! s'écrie-t-elle en souriant elle aussi.

– Quoi?

– Quoi, au cas où tu ne le saurais pas, est un mot qui n'exprime aucune opinion, réplique-t-elle en me jetant un coussin. En plus, j'aimerais bien savoir pourquoi je suis enfermée à double tour avec le garçon le plus exaspérant de toute la Hollande?

Elle n'a pas l'air très énervée, pourtant. Vite, j'attrape le coussin.

– Tu parles trop. Qu'est-ce que ça peut te faire ce que ta mère pense? Est-ce qu'elle t'empêche de contempler le ciel? Non. Alors, dis-toi que vous avez chacune votre façon d'être.

Là-dessus, je lui jette le coussin, mais elle ne cherche pas à se défendre. Elle le reçoit en pleine figure et s'écroule en arrière.

– Anne?

Pas un geste. Certes, je n'ai pas lancé le coussin assez fort pour la blesser, mais quand même.

– Anne?

Je m'approche et, délicatement, je le retire de son visage. Elle sourit. J'ai remarqué qu'elle sourit beaucoup depuis quelque temps. Surtout quand elle est avec moi. Ça me plaît. Elle fait semblant de tirer une fermeture Éclair entre ses deux lèvres et je ris. Tendrement.

Je tends la main pour l'aider à s'asseoir et nous regardons par la fenêtre. Le ciel est bleu, superbe. Le soleil brille. De minuscules bourgeons apparaissent sur les branches enneigées du marronnier. Elle soupire et pose la tête sur mon épaule. Je ferme les yeux. Je hume le parfum de ses cheveux. Sa main est petite et s'emboîte parfaitement dans la mienne. Elle est froide. Anne est toujours gelée. Je pose mon autre main dessus pour la protéger. «Je voudrais simplement la réchauffer, je pense en m'adressant à M. Frank. Je voudrais simplement qu'elle ait chaud.»

– Tu sais, Anne, les gens souffrent aussi à l'extérieur. Il n'y a plus le moindre Juif dans la rue. Plus personne n'a de quoi manger. Et quand je pense aux camps de la mort, ta mère a sans doute raison, la situation est pire pour les autres.

– C'est vrai, on est à l'abri ici, répond-elle d'un air songeur, son corps abandonné contre le mien. On est toujours à l'abri, non? Même s'il n'y a que ce petit bout de ciel pour nous voir. On est ici et...

Soudain, elle s'arrête et me regarde.

J'aurais tant de choses à lui dire. Elle me fait penser aux mouettes qui traversent le ciel, tel un éclair argenté. Et je suis comme le marronnier qui met plus de six mois pour produire une seule feuille. Je soupire, car elle a raison: dans certaines circonstances, il est miraculeux d'être là où l'on est. Comme nous, ici.

En ce moment même.

Oubliant tout le reste.

Hélas, je suis incapable d'exprimer ce que je pense. Je n'ai jamais pu. Alors, je me contente de murmurer son nom. Anne. Et nous nous regardons droit dans les yeux, tandis que dehors le ciel et le marronnier nous protègent. Car nous attendons, tous.

Nous attendons.

Et nous nous demandons ce qu'il va arriver.

22 mars 1944 – Peter pense à Anne

Anne a beau être dure, intelligente, franche, au fond, elle est mélancolique, comme moi quand je pense à Liese et que je prends Muschi dans mes bras pour me consoler.

Est-ce si mal d'avoir envie de prendre Anne dans mes bras ?

Est-ce si mal de me réjouir à ce point-là de savoir que je peux la rendre heureuse ?

Oui, ou non ?

Je ne sais pas.

Il m'arrive encore de monter au grenier pour écouter les tirs résonner dans la nuit. Des avions survolent la ville. Ça ne me fait plus peur. Est-ce parce que j'ai compris que rien n'arrêtera ce qui doit arriver ? Si nous sommes frappés, nous sommes frappés. Si le bâtiment prend feu, il prendra feu et nous serons évacués. Exposés. Je me demande si j'essaierai de passer pour un Allemand. Passer pour ? Qu'est-ce que je raconte ? Je suis allemand, non ? C'est le comble. Ce qui montre à quel point il est difficile de s'y retrouver ces temps-ci.

Bep vient de monter pour nous parler des combats aériens. Elle tousse. Elle est toute mince. Nous sommes tous trop minces. Personne ne mange à sa faim. Tout le monde est malade. Il paraît que les nazis ont tiré sur des avions qui descendaient du ciel en piqué. M. Frank réagit en disant que de son temps ça ne se passait pas comme ça.

– Il n'y a pas assez de vivres, explique maman. Pas assez pour tout le monde. Ils refusent de les nourrir, voilà pourquoi ils leur tirent dessus !

– Tu ne peux pas tout réduire à un problème de ravitaillement, Auguste ! s'exclame Mme Frank.

C'est parti une fois de plus pour une nouvelle prise de bec. Mme Frank poignarde nos vêtements avec son aiguille qu'elle plante, tire, replante, et ainsi de suite, suivant le rythme de ses paroles. Leurs voix exaspérées résonnent encore en moi.

– Pardon, murmuré-je en m'adressant aux pilotes morts.

Si je savais que je mourrais demain, oserais-je demander à Anne la permission de l'embrasser ? Plus d'une fois ? Si elle savait que c'était notre dernier jour, accepterait-elle ? Et si la seule raison de s'embrasser était la conviction que nous étions voués à mourir le lendemain ?

Est-ce la seule raison qui nous y incite ?

Je suis incapable de répondre.

Comment peut-on jamais savoir de toute façon ?

Anne entre dans ma chambre sur la pointe des pieds.

Elle tortille ses mains nerveusement. J'ai conscience d'être cruel avec elle en faisant tout pour l'éviter. Ça me fend le cœur. C'est vraiment injuste de la repousser alors qu'elle se donne tant de mal ; comme si je donnais un coup de pied dans un oiseau sans ailes.

– Tu ne voudrais pas monter au grenier ? me demande-t-elle.

Sans un mot, je monte, j'ouvre la trappe et l'aide à entrer. Au début, quand nous sommes arrivés dans l'Annexe, nous grimpions prudemment, marche après marche, tellement l'escalier est raide. Aujourd'hui, nous montons quasiment les marches quatre à quatre.

– Tu es fâché contre moi, Peter ?

Je ne sais ni quoi ni comment répondre. Oui, je suis en colère, mais pas contre Anne. Je suis en colère parce que je suis coincé dans l'Annexe ; parce que nous sommes réduits à nous réfugier sous les combles alors que tout le monde est au courant ; parce qu'il est évident que sa mère ne m'apprécie pas et que son père cherche à protéger Margot.

– Non, c'est à cause de plein de choses !

– Maman aurait raison ? Je te harcèle ? répond-elle d'une voix sèche, non parce qu'elle est fâchée mais parce qu'elle a besoin de savoir. C'est typique chez elle, ce besoin de savoir, quelle que soit la vérité.

Je souris.

– C'est pas drôle !

– Écoute. Chut... écoute.

Soudain, elle se tait et attend. Moi aussi, j'attends. J'attends et je réfléchis avant de répondre. Je rougis. Les oiseaux gazouillent. Un camion bruyant passe au loin. Tout à coup, je me lève pour fermer la trappe même si je sais qu'on entendrait la moindre personne grimper.

– C'est à cause de tout : le fait qu'on soit enfermés ici, sans savoir, en se demandant si... Et si on était condamnés à vivre ici toute notre vie ? Sinon, si quelqu'un nous découvre, qu'est-ce qu'on risque ? Pourquoi est-ce qu'on n'a prévu aucun plan pour fuir... Et si c'était notre seule chance de... ?

Anne est calme, si calme que j'ai du mal à poursuivre :

– De tomber amoureux ou d'apprendre à se connaître... ?

Je suis à court de mots. J'en ai trop dit. Je suis cramoisi. Elle m'observe, très sérieuse, guettant la suite.

– Qu'en penses-tu ?

– Je ne suis pas sûre de comprendre, répond-elle en tremblant.

– Imagine ! Et si on ne sortait plus jamais d'ici ?

– Arrête ! Peter, s'il te plaît !

Elle tremble de tous ses membres.

– Pardon, je suis désolé ! Vraiment désolé, Anne. Qu'est-ce que j'ai dit encore ?

– Rien, mais...

Sa voix tremble tellement qu'elle a du mal à poursuivre :

— J'ai tant de choses en moi, si tu savais ! Tant de choses à faire ! Il faut que je survive, Peter, il faut qu'on survive, tous !

— On survivra, Anne, on y arrivera, murmuré-je, horrifié. Ne t'inquiète pas, ton père nous sortira d'ici. S'il y a une personne qui peut nous libérer, c'est lui.

Je la serre dans mes bras de toutes mes forces, comme si je pouvais empêcher ces pensées, cette peur, de se diffuser en nous et de nous submerger.

— Pardon, chuchote-t-elle peu après.

— Je comprends.

— J'ai peur. J'ai peur que tout ce que j'ai en moi ne voie jamais le jour.

— Je comprends. Moi aussi.

— De quoi... De quoi as-tu le plus peur ? Je veux dire... parmi tout ce que tu risques de ne jamais pouvoir accomplir ?

Elle me fixe avec une telle intensité que je me détourne. Je ne peux pas lui répondre... ou, au contraire, si je lui avouais la vérité ? Mais comment ?

— Non, d'abord c'est toi qui me dis ce dont tu rêves.

Elle n'hésite pas une seconde. Déverse un flot de paroles qui se bousculent comme si elle savait déjà que le temps lui était compté.

— Mes histoires, Peter. J'en ai tellement. Tu as déjà pensé au nombre d'histoires qui existent dans le monde ? Au nombre de personnes parmi nous dont chacune a une histoire... des idées. Parfois, je pense qu'une vie entière ne suffirait pas pour les raconter, ajoute-t-elle en agrippant mon bras avec fougue. Et toi, alors ? Toi aussi, tu dois avoir peur de rater quelque chose.

— Oui, j'ai peur de ne jamais faire l'amour à une fille.

La réponse est tombée entre nous doucement, légèrement. Je sens sa main qui se retire.

— Ah ! s'exclame-t-elle en s'écartant un peu.

Ses yeux, de plus en plus grands, lui dévorent le visage. Sa bouche remue mais elle est incapable d'articuler un mot. Quand, soudain, elle plonge la tête dans ses mains et éclate de rire.

– C'est tellement… ! Ça ne m'aurait jamais traversé l'esprit, jamais je n'aurais imaginé… une réponse pareille !

– Moi non plus !

Nous rions tellement que nous ne pouvons plus dire un mot. Anne a du mal à respirer et essuie les larmes ruisselant sur son visage.

– Anne ?

– Oui ?

– Je t'interdis d'écrire ça dans ton journal.

– Pourquoi pas ?

– Parce que.

– D'accord, je n'écrirai rien.

Puis nous continuons à discuter, discuter jusqu'à ce que la lumière décline et disparaisse complètement. Jusqu'à ce que nos mots semblent avoir une vie propre, séparés de nous, flottant dans l'air du grenier.

– Écoute, Anne, je suis persuadé que tu ne m'aurais jamais remarqué si on n'était pas enfermés ensemble ici.

– Peter ! Je n'aurais sûrement pas remarqué non plus à quel point un seul arbre est une merveille, ou un petit bout de ciel. De toute façon, je serais une personne très différente. Sans doute dix fois pire ! Je ne suis pas toujours très fière de moi, honnêtement.

– Tu es incroyable !

– Toi aussi !

– Anne ?

– Oui.

– Avant, à l'extérieur, je connaissais une fille. Une fille qui s'appelait Liese.

– Liese Lieberman?

C'est dur d'entendre quelqu'un prononcer ce nom tout haut.

– Et toi?

– Un garçon qui s'appelait Peter, Peter Schiff.

Nous sommes assis dans l'obscurité, main dans la main. Ni l'un ni l'autre ne sait ce qui est arrivé à Liese et à Peter. S'ils sont morts ou vivants. Tout ce dont nous sommes sûrs, c'est qu'ils vivent dans notre cœur – et que cela fait mal.

Enfin, nous nous levons et je dépose un baiser sur le sommet de la tête d'Anne. Elle serre ma main une dernière fois. Nous ne disons plus un mot. Inutile, car nous savons tous les deux que nous sommes ici et qu'eux n'y sont plus.

26 mars 1944 – Peter déborde de sentiments contradictoires

Elle a ouvert une brèche. Et mes émotions se déversent. Voilà ce que je voudrais pouvoir lui dire : « Je m'appelle Peter van Pels. Je suis ici. Je suis un être en chair et en os, pas un personnage. Comment réagirais-tu si je te prenais dans mes bras et si je t'embrassais, Anne Frank ? »

Malheureusement, c'est interdit. Il faut que je pense à M. Frank, et à Margot. Tant pis, il vaut mieux que j'écoute ce qu'elle me raconte.

– Je refuse d'être une *Hausfrau*[1] ! s'exclame-t-elle un jour.

Je ris parce qu'à mon avis elle en serait incapable. Elle est beaucoup trop distraite. Elle s'isolerait pour écrire et réfléchir, et elle oublierait de préparer le dîner, ou même d'aller faire les courses.

– Je te rassure, tu ne pourrais pas être une *Hausfrau*, quels que soient tes efforts.

– Si, sauf que je n'en ai aucune envie.

– Dans ce cas-là, tu as intérêt à trouver un mari que ça ne dérange pas.

– Qui sait si j'aurai un mari ?

– Tu crois ?

Elle me jette un de ses regards noirs, attrape une cigarette imaginaire, tire une longue bouffée et retire sa cigarette d'un air inspiré, sa main flottant avec élégance.

– Pensez-vous que cela soit vraiment nécessaire, cher ami ? répond-elle d'une voix langoureuse. À notre époque, aujourd'hui ?

– Tout à fait, si madame veut avoir des enfants.

------

1. Femme au foyer.

Elle arrête son petit jeu et regarde au loin, puis me dévisage en ajoutant sur un ton de défi :

– Qui sait si j'en aurai ? Ça n'est pas obligatoire, que je sache.

– Non.

– J'ai du mal à imaginer que des enfants puissent sortir de moi ; des histoires, en revanche, oui.

Perplexe, je ne me prononce pas.

– Tu trouves ça épouvantable, Peter ?

– Non, pourquoi ? Vu ce qu'on vit ici, j'estime qu'après on aura le droit de faire ce qui nous plaît.

– J'ai envie d'écrire, Peter !

– C'est déjà le cas.

– Tu crois que j'écrirai quelque chose de vraiment important ? demande-t-elle en s'asseyant à côté de moi. Quelque chose d'exceptionnel, qui pourrait changer la vie des gens ?

– Pourquoi pas ?

Quand Anne est dans cet état, elle donne l'impression de pouvoir obtenir tout ce qu'elle veut, être qui bon lui semble, penser en toute liberté. Parfois, j'imagine que je pourrais l'accompagner, où qu'elle soit, en restant au second plan. Comme en ce moment. À mon avis, ça me plairait. Je vérifierais que les portes soient bien fermées. Qu'elle soit en sécurité.

Je passe un bras autour d'elle et nous nous allongeons, laissant ses rêves flotter au-dessus de nous, autour de nous, toujours là. Quelque part. Tournés vers l'avenir.

Si je le lui disais, elle serait surprise de savoir que je commence à aimer le grenier. Grâce à elle. Car elle a le don de tout transformer. Désormais, je suis impatient de monter ici et de m'allonger au soleil. De l'écouter. D'entendre la brise souffler dans le marronnier. De saisir l'éclat d'une mouette fendant le ciel. De rêver que le temps est suspendu.

Oui, j'aime.

Anne, elle, en attend davantage.

Pas de moi.

Du monde.

– Tu as déjà embrassé quelqu'un ? me demande-t-elle tout à trac.

– Non.

Pourtant, je me souviens du grain de la peau de Liese et du parfum du plat de sa main quand je l'ai embrassé pour lui dire au revoir. Si doux. Si chaud.

– Moi non plus, ajoute Anne en passant soigneusement la langue sur ses lèvres.

Je souris face à son air anxieux et déterminé.

– Je ne crois pas que ce soit comme ça, dis-je. Quand ça arrive, ça arrive, c'est aussi bête que ça, tu ne penses pas ?

Mais qui sait si je ne me trompe pas ? Pour nous qui n'avons pas le temps d'attendre. Pour nous qui n'avons peut-être pas le choix.

Seul ici existe.

Seul maintenant existe.

Seule Anne existe, qui rêve de découvrir l'effet d'un baiser, et moi, qui rêve de faire l'amour à une fille.

Elle préférerait sans doute une vedette de cinéma, ou quelqu'un de particulièrement brillant. Quant à moi, je préférerais Liese.

Hélas, ils sont absents.

Et nous sommes ici.

Soudain, je me relève. Non, je ne peux pas, pas comme ça.

– Il vaudrait mieux qu'on redescende, je propose.

Est-ce mon imagination, ou est-elle soulagée ?

Ou au contraire, déçue ?

Si le temps m'appartenait de nouveau. Si elle était assise à côté de moi, avec ses questions, ses désirs. Si je savais ce que je sais aujourd'hui. Aurais-je réagi différemment ? Car nous avions moins de temps que nous ne le pensions.

Beaucoup moins.

27 mars 1944 – Anne et Peter au grenier

Quel plaisir de voir Anne sourire grâce à moi ! Il suffit que je lui adresse deux ou trois clins d'œil. Que je lui demande comment elle va, ou si elle voudrait monter au grenier. En ce moment, je n'arrête pas, parce que j'essaie de faire son portrait et je n'arrive pas à saisir ses fossettes. Je n'avais jamais vraiment fait attention à son visage. À ses yeux au marron si profond, à son visage aux traits si vifs, comme son esprit, percutant et tranchant. Par contre, elle a beau savoir plein de choses et réfléchir, elle ne comprend pas toujours très bien les gens.

Le nouveau sujet de conversation dans l'Annexe est le suivant : Anne et moi.

– La seconde chambre d'Anne, a lâché Pfeffer un jour où il l'a vue filer chez moi. N'oublie pas de revenir à nous, Anne !

Elle a cligné des yeux et souri en l'ignorant. Comme l'avait prévu son père, ce petit jeu l'amuse. Et, comme d'habitude, je n'ai pas bronché, mais au fond de moi j'enrage. Je suis furieux. En quoi ça les regarde ? Ont-ils été obligés de s'expliquer face à leurs parents, eux ? Ils ne pourraient pas avoir la décence de faire au moins semblant de respecter notre intimité ?

29 mars 1944 – Tout le monde prend conscience de la valeur du journal d'Anne

Hier soir à la radio, le ministre Gerrit Bolkesteyn a conseillé aux personnes obligées de vivre dans la clandestinité de rassembler et de conserver tous leurs écrits en tant que témoignages. Aussitôt on s'est mis à parler du journal d'Anne. Chacun voulait savoir ce qu'elle racontait. Chacun voulait être sûr d'y figurer. M. Frank insistait sur l'idée de témoignage. Mme Frank sur l'idée de testament. Quant à papa, il nous a ressorti ses blagues préférées, au cas où on les aurait oubliées ! Tout le monde était ravi, sauf moi, et Margot.

Qui ne mouftait pas.

– Et si je n'avais aucune envie de figurer dans ce journal ? ai-je osé dire au dîner (chou frisé qui pue et patates).

– Vite, écris ça dans ton journal ! s'est écrié papa.

Et tout le monde a éclaté de rire.

J'étais perplexe. Je me demande s'ils ont compris à quel point elle est passionnée et à quel point ce journal est précieux pour elle. Il pourrait même tout faire basculer entre elle et moi.

J'ai essayé de capter son regard, mais elle fixait sa sœur, comme si elle attendait qu'elle réagisse.

– C'est merveilleux, a dit très gentiment Margot, manifestement secouée.

– Il faut qu'on s'arrange pour que tu aies plus de temps pour écrire, a renchéri Mme Frank.

Anne avait l'air étonnée.

– En tout cas, pas dans ma chambre. Je n'ai aucune envie qu'elle y passe plus de temps. Franchement, je me demande si c'est une bonne idée de l'encourager, a objecté Pfeffer.

– Aucun problème. Anne pourra passer autant de temps

qu'elle le voudra dans notre chambre. Vous ne serez absolument pas affecté, a répondu M. Frank.

Margot a fermé les yeux. Où irait-elle maintenant? Personne ne lui a posé la question, et elle ne l'a posée à personne.

– Merci, papa! s'est exclamée Anne. Et merci à toi, maman!

Personne n'a pensé à remercier Margot.

J'imagine déjà comment Anne doit nous décrire. Maman doit être une tête de linotte un peu grassouillette; Margot, la fille parfaite, agaçante; et moi? J'ose à peine l'imaginer. Surtout quand je pense à tout ce que je lui ai confié.

30 mars 1944 – Peter surprend Anne en train d'écrire

Je suis au grenier et j'attends Anne. Comme elle ne vient pas, je descends chez les Frank, mais elle n'est pas dans leur salon, alors je frappe à la porte de la chambre de ses parents.

– Entre, m'encourage naturellement Margot, de toute façon quand elle écrit elle n'entend rien.

Anne est assise au bureau, tête penchée, sa main glissant le long des pages. Elle n'a même pas remarqué que j'étais entré.

– Anne ?

Elle sursaute, me dévisage de son regard noir, perdu.

– Peter ?

– Nous, euh… on avait dit qu'on se retrouvait au grenier.

– Ah ! s'exclame-t-elle, absente.

Contrariée, un peu effrayante.

– C'est pas grave. Plus tard.

– Sauf qu'il n'y aura peut-être pas de plus tard, murmure-t-elle en se retournant face au bureau.

Je sors en fermant soigneusement la porte et reste là, stupéfait.

– Impressionnant, non ? lance Margot.

En effet.

Plus tard, lorsque nous nous retrouvons au grenier, ni Anne ni moi ne mentionnons rien. C'est un secret, comme la cachette de l'Annexe.

Depuis quelque temps, nous nous retrouvons le soir et toujours au grenier, parce que dans la journée elle est trop occupée. Comme il est impossible de se procurer des bougies, nous nous asseyons dans l'obscurité ou dans le noir total.

– Je t'ai vu, l'autre jour, m'avoue-t-elle un soir. Tu étais dans l'entrepôt avec Moffi.

– Ça ne m'étonne pas. Je parie que tu passes ton temps à nous espionner.

Malheureusement, je suis incapable de lui expliquer en quoi cela change tout pour nous.

– Toi... tu as Moffi et Muschi, et moi je... je...

Soudain, elle plonge la tête dans ses mains et éclate en sanglots en bredouillant :

– Il me manque tellement, si tu savais !

– Qui ?

– Moortje.

– Ton chat ? je réplique, au bord du fou rire.

Aussitôt, j'imagine la vie sans Muschi et je compatis. Spontanément, je passe un bras autour de ses épaules et je sens qu'elle s'effondre, se déverse comme de l'eau entre mes mains.

– Je... je... j'aimerais...

– Quoi ?

– Avoir... quelque chose qui n'appartienne qu'à moi.

Je ne réponds pas. Je l'écoute parler tout en m'interrogeant : « Est-ce à moi qu'elle pense ? Moi dont elle voudrait que je n'appartienne qu'à elle ? »

Peu à peu, elle se reprend. Retire les mèches qui cachent ses yeux. Ses cheveux sont humides, frisés, ébouriffés. C'est la première fois que je vois une fille éclater en sanglots devant moi. Comme ça. Comme si c'était la fin du monde. Je ne sais pas depuis combien de temps nous sommes au grenier, ni ce que les autres doivent penser. Va-t-elle tout raconter dans son journal ? Ou y a-t-il encore des domaines réservés à ses yeux ? Chacun a son jardin secret, non ?

– Excuse-moi, dit-elle d'un ton sec.

Abrupt. Elle est gênée.

– Ne t'inquiète pas.

– En fait, je pleure à cause de tout ce qu'on a perdu.

– Le fait de l'écrire et d'y penser ne rend pas les choses encore plus difficiles ?

Comme d'habitude, elle esquive ma question en répondant par une autre :

– Et toi, beaucoup de choses te manquent ?

Silence. Toute question, même si elle n'est pas destinée à figurer dans un journal ni à être envoyée au gouvernement, comporte un risque.

– Bien sûr, finis-je par chuchoter.

– Quoi, par exemple ?

Je suis un peu déconcerté. Non pas parce que je ne trouve rien à répondre, au contraire, parce qu'un nombre incalculable de choses me manquent. Mais si je commence à les énumérer, comment les rassembler pour les retrouver ensuite ?

– La pluie. La pluie sur mon visage, je réponds.

Et au moment même, je sens des gouttes d'eau fraîche tomber sur ma figure comme de fines aiguilles de pin.

Oui, la pluie me manque, comme une douleur cachée au fond de mon cœur.

– Moi, c'est l'extérieur. Être dehors, ça me manque, tu ne peux pas savoir ! ajoute Anne, en larmes.

Si seulement je pouvais la consoler. Si seulement je pouvais renverser la situation. Si seulement j'avais les mots pour le dire, comme elle. Je la serre dans mes bras, même si je ne suis pas sûr de bien faire. Je me sens un peu gauche. Et si elle en parlait dans son journal ?

J'enrage.

Quelles sont nos chances ?

Nos choix ?

Nuls.

De l'autre côté de la vitre, le vent soulève les branches du marronnier dans le noir. Un oiseau s'est mis à pépier, s'arrêtant soudain, comme s'il venait de se rappeler que la nuit était

183

tombée. Et Anne sanglote. Jamais je n'aurais imaginé qu'elle était aussi désespérée. Je prends son tablier qui sèche sur le fil et, délicatement, j'essuie son visage.

– Ça va mieux ?

Quelle question !

– Oui, ça va mieux.

– C'est bien. Je suis content.

– Il y a des jours où je…, balbutie-t-elle en reniflant, c'est trop dur de penser à tout ce qu'on a perdu.

– Le bouillon de poulet de maman, avec des petits pois frais.

– Comment ?

– C'était juste un exemple de quelque chose qui me manque.

– Imbécile ! Vous ne pourriez pas penser à autre chose qu'à manger, chez les Van Pels ?

– Et mademoiselle ne pourrait pas penser à autre chose qu'à son journal ?

– Non ! réplique-t-elle en riant.

Je suis blessé de savoir que je suis moins important que sa plume et son cahier.

Soudain, j'arrache un immense pantalon qui appartient à Pfeffer du fil à linge et le lui tends pour qu'elle se mouche.

– Raccroche-le ! s'exclame-t-elle en gloussant. Rien que de le toucher, ça me dégoûte.

– Anne ?

Elle me dévisage, sérieuse.

– Je sais ce que tu as et qui n'appartient qu'à toi. Ton journal.

Elle lève les yeux. Vive. Percutante. C'est exactement l'expression que je voudrais saisir en faisant son portrait – si je pouvais.

Et c'est ainsi qu'elle apparaît dans mes rêves. Suis-je éveillé ou endormi ? Vivant ou mort ? Tout ce que je sais, c'est qu'elle est ici, avec moi, en permanence.

Avec ses yeux immenses et les mains toujours occupées, écrivant, écrivant... rapportant chaque souvenir.

Entendant tout.

Voyant tout.

Telle que je l'ai toujours connue.

9 avril 1944 – Anne et Peter
essaient d'évoquer la vie hors de l'Annexe

J'étais presque endormi quand Anne est apparue dans l'encadrement de ma porte avec un oreiller entre les mains. Nous l'avons emporté au grenier pour le transformer en canapé en le posant sur une caisse que nous avons poussée contre deux cantines.

– Voilà…

– Combien demandez-vous pour l'ensemble, cher monsieur ?

– Il n'est pas en vente, mais pour vous, ce serait gratuit. Je vous en prie, asseyez-vous, mademoiselle.

– Ah ! soupire-t-elle en s'asseyant. Rien de tel qu'un bon verre de brandy et une cigarette après une soirée à écouter Mozart…

– Je suis parfaitement d'accord !

Petit à petit, j'ai appris à jouer à ses jeux, de même qu'elle a appris à rester silencieuse. Comme en ce moment, où nous sommes assis face à la fenêtre. La nuit tombe de plus en plus tard à mesure que l'été se rapproche. Le ciel passe par toutes les nuances de bleu avant de virer au noir. Le marronnier n'est plus cette lugubre silhouette décharnée. Il est couvert de gros bourgeons et de feuilles recourbées qui ne demandent qu'à s'épanouir. Anne repose délicatement contre moi. Muschi est allongé sur nos genoux et nous tient chaud. Il fait toujours aussi froid et nous portons plusieurs couches de vêtements. «Comme ça personne ne voit que nous avons la peau sur les os », prétend papa.

Nous n'étions pas si maigres, au fond. Pas vraiment, pas encore.

– La situation est de pire en pire, tu ne trouves pas ? demande soudain Anne. Tout se fait rare. La nourriture, le charbon...

– Même les Juifs ! j'ajoute à mi-voix.

Nous éclatons de rire. Ce n'est pas bien. Soudain, nous nous arrêtons.

– L'autre jour, Miep m'a dit que même les enfants se sont mis à voler.

– Ils sont aux abois, je réplique.

– Oui, je sais.

J'ai horreur qu'elle les traite de gamins des rues et elle en a parfaitement conscience. Qui dit que nous ne chaparderions pas si nous étions à leur place ?

– Je pense souvent à tous ces gens en Hongrie[1]. Comment peut-on tuer autant de personnes à la fois, Peter ? Tu penses que... ?

– Chut... On ne peut rien y faire, pas encore.

– Si, on peut ! s'exclame-t-elle en se redressant. On peut au moins témoigner !

– Toi, oui, parce que tu écris.

– Non, tout le monde.

– Peut-être.

– D'après Miep, la situation dans le pays est atroce. Les Hollandais ont commencé à se dénoncer et à se voler les uns les autres.

– On a de la chance. D'être au chaud, d'avoir de quoi manger et, qui sait, peut-être qu'on survivra à tout ça.

– Plus ou moins au chaud, corrige-t-elle en se blottissant contre moi. L'avantage de l'écriture, ajoute-t-elle brutalement, c'est que ça dure éternellement.

---

1. Anne et Peter ont pris connaissance de l'occupation de la Hongrie le 19 mars 1944.

– C'est un don fabuleux.

Je souris parce que je le pense sincèrement ; quel bonheur de ne jamais se sentir complètement seul parce qu'on a toujours un trésor caché en soi : une histoire à raconter, une personne à décrire, une idée à explorer...

– Écoute, Peter, j'ai réfléchi, à propos de ce que tu m'as demandé l'autre jour, sur ce que je voudrais. Je crois que je...

Un sifflement sourd et pressant retentit et nous sursautons, culpabilisant alors que nous nous sommes à peine effleurés. Soudain, papa apparaît en haut des escaliers.

– Le docteur Pfeffer vient de me dire que vous lui aviez pris son oreiller.

Un coup d'œil complice et nous nous précipitons en bas avec l'oreiller volé.

– Anne ! hurle Pfeffer en frappant son oreiller contre ses cuisses avec rage. Je vais bondir toute la nuit à cause des puces, maintenant !

– Mais non, c'est moi qui me suis assise dessus ! Je n'ai pas de puces que je sache.

– Vous saviez que les puces sautent plusieurs fois leur propre hauteur ? ajoute Margot.

Tout le monde se retient pour ne pas éclater de rire en imaginant Pfeffer bondissant autour de la chambre.

– Dieu du ciel, Pfeff ! intervient papa, vous n'avez qu'à nous prendre sur votre dos et sautiller pour nous emporter vers la liberté !

– Vous trouvez ça drôle ? se défend-il en fichant le camp, furieux.

Je suis allongé sur mon lit et j'essaie d'imaginer ce qu'Anne aurait répondu.

J'étais tellement concentré pour imaginer ce qu'Anne allait répondre que je n'ai rien entendu. Les bruits de pas se rapprochaient, mais personne n'écoutait. Comme le jour de la tentative de cambriolage, personne n'avait rien remarqué – piégés par notre petit confort. Oubliant le danger.

De l'extérieur.

Persuadés que nous y échapperions.

Plus tard dans la soirée... Peter est sur le point de découvrir un nouveau cambriolage

Je suis derrière la bibliothèque pivotante quand soudain je les entends. Deux énormes coups sur la porte. Mon sang ne fait qu'un tour. Je tends l'oreille. Silence, pas de nouveaux coups. J'enlève mes chaussures et je descends l'escalier secret jusqu'en bas. La porte de l'entrepôt est fermée mais une grosse planche a été brisée, par laquelle l'air s'engouffre.

Aussitôt, je vais voir M. Frank, comme si je voulais qu'il m'aide à faire mes devoirs. Anne a tout compris, pourvu qu'elle ne dise rien à maman. Vite, nous prenons deux ou trois outils (plus exactement, papa et moi, car M. Frank refuse toujours de prendre quoi que ce soit) et nous filons dans l'entrepôt.

– Police ! hurle papa.

Des bruits de pas s'éloignent en courant dans la rue. Nous ramassons la planche pour la remettre en place en pleine obscurité. Difficile d'être entièrement silencieux. Nous tâchons de ne pas penser aux quelques centimètres qui nous séparent de la rue, ni au bruit du marteau qui résonne dans la nuit.

– C'est bon, murmure M. Frank.

Nous sommes soulagés, mais sur le qui-vive. Soudain, un fracas assourdissant retentit et la planche valse à nouveau. Une botte apparaît, une énorme botte noire qui cherche à pénétrer, à rompre le calme, l'obscurité, la sécurité. Menace suprême. Je brandis mon marteau pour chasser l'intrus. Hors de lui, papa plante brusquement sa hache dans le sol. Un feu d'étincelles jaillit. Les bruits de pas s'éloignent en courant. Silence. Papa et moi, nous sommes blottis l'un contre l'autre, à bout de souffle.

– Cette fois-ci, ils ont compris, lâche tout bas M. Frank. Allez, remettons-la en place une bonne fois pour toutes, cette planche.

À peine avons-nous commencé à la soulever que de nouveaux bruits de pas se font entendre. Stop. Le faisceau d'une torche transperce la porte. J'aperçois l'ombre d'un homme et d'une femme.

– Nom de D…, s'exclame papa.

Nous nous précipitons en haut, tels des cambrioleurs. Papa et M. Frank vont prévenir leur femme. Pendant ce temps-là, je cours dans le bureau pour tout mettre sens dessus dessous, comme s'il y avait eu un vol. J'ouvre les fenêtres. Papa, qui vient de se rappeler que Pfeffer était aux toilettes, est en train de l'aider à remonter. Je referme soigneusement la bibliothèque avant de me cacher derrière, aux aguets, le marteau à la main. Rien. Silence.

M. Frank a fait monter les femmes. On ouvre ma fenêtre pour écouter. Rien.

Soudain, ils reviennent. Dans le bureau, puis dans l'escalier, jusqu'au pied de la porte-bibliothèque.

La porte grince.

Personne ne bronche.

Personne ne bouge.

Je ne suis même pas sûr que quelqu'un respire. Nous pensons tous la même chose : « Ça y est. » Maintenant. Quelle que soit son identité, l'intrus fait de nouveau grincer la porte.

Une boîte tombe de la bibliothèque.

« Ils savent ! Sinon pourquoi s'acharneraient-ils ?[1] »

Les bruits de pas s'éloignent en passant par le bureau ; on entend fermer les fenêtres et descendre l'escalier. La lumière est toujours allumée de l'autre côté de la porte. Pourquoi personne ne l'a éteinte ? Et s'ils revenaient fouiller ? S'ils étaient partis chercher des outils ? Mille questions se bousculent dans

---

1. Quand la police a fini par arriver, elle s'est dirigée tout droit sur la bibliothèque pivotante. Est-ce parce que le cambrioleur, quel qu'il soit, l'aurait prévenue ? Nous ne savons pas. Nous ne pouvons pas savoir. Nous ne pouvons qu'émettre des hypothèses.

mon esprit. Jusqu'au moment où nous décidons de nous retrouver dans la cuisine.

– Pardonnez-moi, mais après une telle émotion, j'ai besoin d'un pot de chambre ! lâche papa.

Hélas, les seaux sont tous au grenier. Nous finissons par utiliser ma poubelle, mais l'odeur est épouvantable. Ça sent la pisse, la peur et la merde.

Je n'ai qu'une envie, m'allonger sous la table avec Anne et la prendre dans mes bras. J'ai besoin de serrer quelque chose ou quelqu'un, peu importe, contre moi. Hélas, tout ce que je trouve c'est une cigarette. Alors je fume, mais sans avaler la fumée pour être sûr de ne pas tousser. Je m'assieds près de l'évier et je réfléchis : où a bien pu passer ce couple avec la torche ? Pourvu que ce soit deux Hollandais inoffensifs qui se promenaient. Pourvu que la terreur sur nos visages ait suscité en eux de la pitié plutôt que de la haine.

Je crois que mes yeux se sont fermés, mais je ne suis pas sûr d'avoir dormi.

Épuisé, je finis par remonter dans ma chambre. Anne se redresse, pâle comme la mort dans la lueur de l'aube, et me suit. Nous nous asseyons près de la fenêtre et nous attendons que le soleil se lève même si nous ne pouvons pas le voir, mais seulement le sentir. Je sais ce qu'elle pense : « Ça y est. Notre heure est venue. » Nous nous blottissons l'un contre l'autre. Si proches que je sens son corps qui tremble. Des paroles me traversent l'esprit, que je suis incapable de prononcer.

« Allonge-toi et fais-moi l'amour. »

« Il fait trop froid. Allonge-toi contre moi pour que nous dormions dans les bras l'un de l'autre. »

Mais nous demeurons assis et muets.

Telles des sentinelles.

Jusqu'au moment où les autres commencent à chuchoter et à se réveiller derrière nous. À échafauder des plans. Peu après je me retrouve tout seul dans mon lit et m'écroule de sommeil.

Je me réveille et qui vois-je ? Miep et son mari devant la porte de ma chambre.

Vite, je me lève et me précipite dans la cuisine. Tout le monde discute et s'agite en pleurant. La pièce sent toujours aussi mauvais. Je prends du détergent et commence à nettoyer. La poubelle est pleine et elle fuit. Je trouve un seau, trop lourd, mais heureusement M. Frank m'aide, et rien ne me semble plus pesant que ce sentiment de peur qui gît en moi.

– C'est bien, me félicite M. Frank.

Je réagis à peine. Je suis trop angoissé. Dans une demi-heure, les employés du bureau vont débarquer. Heureusement, nous arrivons à tout vider dans les toilettes à temps. Quand nous remontons, la cuisine est impeccable, tout le monde s'y est mis, ni vu ni connu. Je me souviens du jour où je suis arrivé ici : la chaleur, l'angoisse, l'impression que tout était si étriqué, si sombre. J'ai la tête qui tourne à cause du manque de sommeil. J'imagine toutes les pièces vides – tout aurait été évacué, y compris nous. « Nous avons déjà disparu », me chuchote mon esprit. Plus le moindre signe de nous n'existe hors des murs de l'Annexe.

Si nous sommes arrêtés, plus personne ne sera là pour nous regretter, à part le personnel du bureau.

Je secoue la tête pour tâcher de penser à autre chose.

Jan est en train d'expliquer que le couple que nous avons aperçu n'était autre que M. van Hoeven et sa femme qui venaient livrer des pommes de terre. Ils n'ont pas dit un mot à la police. Ils ont deviné que des gens se cachaient. Tout le monde fait des commentaires à qui mieux mieux, manifestement soulagé.

– Mais qui sont les premiers à avoir essayé d'entrer, et pourquoi ?

– Combien de temps allons-nous tenir encore ?

Après le déjeuner, nous faisons la sieste. Allongé sur mon lit, j'observe les fissures dans le plafond jaunâtre. J'ai les yeux secs et l'impression d'avoir du sel sous les paupières. Je vais les rincer dans la salle de bains et sur qui je tombe ? Anne. Qui me jette un regard ahuri avec ses grands yeux noirs.

– Tu as encore le courage de monter au grenier ? je lui demande.

– D'accord.

Nous montons. J'ai passé un bras autour de son épaule, la tête penchée contre elle. Je caresse sa chevelure et, timidement, elle me serre dans ses bras, ou elle essaye. Elle est si menue.

– Merci, murmure-t-elle.

– Pourquoi ?

– Pour ton courage.

– Tu parles.

– Si, non seulement tu t'es battu pour nous, mais en plus tu as tout nettoyé dans la cuisine.

Son regard plein d'admiration et ses bras autour de moi sont si doux.

– Peter ?

– Oui ?

– J'ai réfléchi, à propos de ce que tu disais, et je...

Soudain, Margot apparaît en haut des escaliers.

– Viens, assieds-toi à côté de nous pour profiter du soleil.

Ce faisant, je comprends à quel point nous l'avons négligée.

– C'est un comble, non ? répond-elle. Le pire arrive et le soleil brille. Allez, venez, le thé est prêt, ajoute-t-elle en filant.

En bas, l'ambiance est joyeuse. Tout le monde est soulagé et nous avons droit à de la vraie limonade, faite maison.

Au fond, je me demande ce que nous célébrons.

Je suis épuisé.

Je retourne dans ma chambre. J'espère qu'Anne me rejoindra. J'espère que son regard plein d'admiration se muera enfin en caresses, en baisers, en... Je n'en peux plus, je m'écroule de sommeil.

14 avril 1944 – Peter est amoureux d'Anne

Anne bavarde, bavarde, bavarde sans fin, même quand je caresse délicatement son visage ou ses cheveux. J'adore le toucher de ses boucles glissant entre mes doigts. J'adore tout ce qui m'entoure. Depuis la tentative d'effraction, je vois tout sous un nouveau jour. Je remarque le moindre détail.

Le monde me semble unique, merveilleux. Miraculeux : le chant des oiseaux dans les branches du marronnier, le soleil brillant dans le ciel bleu, les feuilles. Un jour, bientôt, je monterai au grenier et les bourgeons auront éclos, grands ouverts, sans que j'aie rien vu.

Le soleil caresse mon visage, illuminant peu à peu celui d'Anne. Un rai de lumière tombe en oblique sur ses yeux tandis qu'elle me lit un poème qu'elle a écrit.

Mon travail, mon espoir, mon amour, mon courage
Voilà qui me donne ma force, ma joie et m'encourage !

– Superbe !
– Au fond, c'est grâce à toi que je me sens aussi bien.
– Vraiment ? À mon avis, c'est grâce à l'écriture.

Elle me lance un de ces regards percutants dont elle a le secret.

– Tu te trompes, Peter, les mots naissent rarement *après* les impressions.

Parfois, à Auschwitz, ces paroles me revenaient en mémoire. Surgissaient de nulle part. Apparaissaient comme une torture. Une malédiction. Un rêve venu d'un monde qui n'a aucun sens ici.

Des paroles si présentes que je priais pour qu'elle ait connu une mort rapide. Qu'elle soit entrée dans une chambre à gaz, pleine d'amour, de courage et d'espoir – pour en ressortir tel un rayon de lumière. Lumière vive.

Pas comme moi.

Mort vivant.

15 avril 1944 – Peter souffre

Il fait chaud. On manque d'air. Je ne peux pas ouvrir la fenêtre de ma chambre. Quelque chose me turlupine, quelque chose que j'ai oublié.

J'ai du mal à m'endormir et pourtant je dors, et je rêve. Je rêve que je suis nu, tremblant, luttant pour me souvenir de quelque chose au milieu d'une foule de gens nus, juifs, éclopés, homosexuels, fous. Nous avançons en chancelant à la recherche d'une clé. Nous sommes des milliers, et pourtant je suis seul.

J'ai l'impression d'entendre les cloches de Westertoren. J'ouvre les yeux, ravi, mais non, c'est impossible, elles ne sonnent plus.

– Peter ! Peter !

C'est Anne. Elle me prend la main, j'ouvre les yeux et, soudain, je me souviens.

– J'ai oublié de débloquer le verrou de la porte ! je m'écrie en bondissant dans mon lit.

– Viens prendre ton petit déjeuner.

Mon cœur bat la chamade. Catastrophe ! Tous les soirs je ferme le verrou de la porte de l'entrepôt, et le lendemain matin je rouvre pour que M. Kugler puisse entrer avec sa clé. Alors comment est-il entré aujourd'hui ? Que s'est-il passé ?

– Viens, m'encourage Anne en me caressant la main. Ce n'est pas de ta faute, on aurait dû te le rappeler.

Déjà j'entends leurs voix murmurer dans la cuisine pendant que je m'habille. Peu après, j'entre et tous les regards se tournent vers moi – regards de pitié, pas de colère.

– Assieds-toi, Peter, m'invite M. Frank.

– Mange un peu, renchérit maman.

Papa me sourit. Je me sers. J'arrive à mâcher, mais je suis incapable d'avaler quoi que ce soit.

– C'est Peter qui me fait le plus de peine, déclare Mme Frank.

Je suis au bord des larmes.

– Que se passe-t-il ? demandé-je.

J'ai besoin de comprendre. Tous les regards se tournent vers M. Frank.

– Écoute, comme tu peux t'en douter, M. Kugler n'a pas pu ouvrir la porte puisqu'elle était verrouillée de l'intérieur. Du coup, il est allé chez Keg, à côté.

Pitié ! Pas chez Keg, alors qu'ils ont déjà des doutes. Je suis sûr qu'ils ont compris que la porte était fermée de l'intérieur parce qu'il y avait des gens cachés. Personne ne bronche. J'entends chacun respirer. La situation est grave. Très grave. Je n'ai pas besoin qu'on me l'explique ni qu'on m'accuse. J'ai compris.

– Kugler a brisé le carreau du bureau pour entrer.
Silence.

– Malheureusement, les employés de chez Keg ont remarqué qu'il y avait une fenêtre ouverte au grenier. Nous n'avons pas été assez vigilants. Tous.

« Surtout moi », je ne peux m'empêcher de penser, accablé.

– Je suis navré, murmuré-je.

– C'est moi qui ai ouvert la fenêtre, intervient maman en me souriant. J'avais envie que le linge sèche à l'air libre, il faisait un temps radieux.

– De toute façon, on aurait dû te le rappeler, dit Margot.

– Oui, renchérit Anne, c'est toi qui ouvres, mais c'est à nous tous de ne jamais oublier.

– Tout à fait, dit M. Frank. Nous sommes tous responsables.

Pfeffer ne dit pas un mot.

– Merci, dis-je en me levant.

Je file dans ma chambre. Je rêve de descendre. De retrouver Muschi. De m'isoler dans l'obscurité de l'entrepôt. Mais je n'ai pas le courage de repasser par la cuisine. Je préfère me réfugier au grenier. La journée est splendide. Le soleil brille. Comment ai-je pu oublier ? Comment ai-je pu nous mettre dans un tel danger ? Quel est le problème avec moi ?

« Anne Frank, le voilà, ton problème. »

– C'est gentil, Anne, résonne la voix de maman, mais pas tout de suite, plus tard, peut-être. Je pense qu'il a besoin d'être seul.

Je ne sais pas combien de temps je suis resté au grenier mais j'ai fini par redescendre. De toute façon, il est impossible de revenir sur ce qui a eu lieu. Sinon, la guerre serait déjà finie. C'est ce que j'ai toujours entendu maman dire. Heureusement, les Frank n'étaient plus là.

Maman se précipite sur moi pour me prendre dans ses bras.

– Manque de pot, mon vieux, me lance papa. Ça aurait pu arriver à n'importe qui.

« Sauf que c'est à moi que c'est arrivé. À moi et à personne d'autre. »

Je descends voir M. Frank.

– Je suis désolé d'avoir mis tout le monde en danger.

– Tu as commis une erreur, confirme-t-il, ceci dit ce n'est pas toi qui représentes le plus grand danger, tu vois ce que je veux dire ?

– Oui, mais...

– Ce qui est fait est fait. N'y pense plus. Prends-en de la graine et avance.

– On ne pourrait pas faire un peu de français ?

J'ai besoin de rester à ses côtés pour me rassurer. Besoin de me concentrer sur des problèmes de verbes, de désinences, sur tout ce qui crée de l'ordre et du sens.

– Bien sûr, répond-il en sortant son manuel. *Bonjour!* lance-t-il aussitôt.

– *Ça va?*

– *Ça va bien, merci, et toi?*

– *Ça va.*

– *Qu'est-ce que tu voudrais acheter ce matin?*

– Un peu de liberté, je réponds spontanément en hollandais, et en rougissant.

– Je crains que ce ne soit pas un bien que tu puisses acheter, réplique M. Frank en souriant.

Et nous enchaînons avec les verbes irréguliers...

M. Kugler est furieux. Il exige que nous changions notre organisation. Désormais, j'inspecterai le bâtiment tous les soirs entre vingt heures trente et vingt et une heures. Il est interdit d'utiliser les toilettes à partir de vingt et une heures trente. Pfeffer râle parce qu'il a l'habitude de travailler dans la salle de bains, plutôt que dans le bureau.

Le pire, c'est que je n'ai plus le droit d'ouvrir la fenêtre de ma chambre le soir. Je sais pourquoi – les gens du bureau voisin l'ont remarquée –, mais abandonner cette dernière bouffée d'air venue du dehors, c'est comme si on claquait le couvercle d'un cercueil au-dessus de moi.

Chaque fois que je pense à mon erreur, j'ai le cœur qui bat à toute vitesse et j'ai la nausée. Anne ne m'a pas fait la moindre remarque; au contraire, dès qu'elle peut elle essaie de croiser mon regard avec un grand sourire.

Ce soir, j'ai du mal à avaler mon dîner; heureusement, personne, pas même Pfeffer, ne me houspille. Dès qu'elle pense que personne ne la voit, Anne m'adresse un clin d'œil complice. Au début, j'ai cru que c'était une espèce de tic. Puis son père se met à parler des Alliés dont l'avancée se confirme, et elle recommence. Je regarde autour de la table. Personne n'a rien remarqué. Deux secondes plus tard, elle recommence.

Elle me fait rire. C'est plus fort que moi. Elle m'envoie un baiser discret avant la fin du dîner puis me rejoint dans ma chambre.

– Allez, bouge un peu! lance-t-elle en s'asseyant sur mon lit pour essayer de me prendre dans ses bras.

Mais comme elle est trop petite, elle attrape un gros coussin et s'installe dessus pour se rehausser.

– Viens ici, dit-elle en prenant ma tête pour la poser sur son épaule.

Enfin, je ne me sens plus seul. Elle recule légèrement et m'observe avec un air interrogateur, mais je suis incapable d'articuler un mot. Pourtant son nom résonne en moi.

« An-ne. An-ne. An-ne. »

Partout sauf entre mes deux lèvres.

Je jette un coup d'œil sur ma montre. Il est bientôt vingt heures trente, il va falloir que j'aille inspecter le bâtiment. La routine doit reprendre. Je n'en ai aucune envie. Aucune.

– Je... Je... Anne?

Je ne sais plus si j'ai plutôt envie d'embrasser sa bouche, ses yeux, son front. Mais j'ai envie de l'embrasser, elle. Elle se retourne et je me surprends à déposer de doux baisers sur sa joue, ses cheveux, son oreille douce et chaude. Quand, soudain, elle disparaît.

Debout devant la fenêtre, je reprends ma respiration. J'effleure mes lèvres. Et tombe sur un cheveu pris entre mes doigts.

– Anne? Anne?

Personne. Tant pis, je descends dans la cuisine.

– Ça va mieux? m'interpelle papa. Ne t'inquiète pas, mon garçon.

– Oui, ne t'en fais pas, Peter, ajoute maman à mi-voix.

Plus tard dans la soirée –
Peter écoute à la porte de ses parents

J'étais devant la chambre de mes parents et j'écoutais à la porte quand j'ai entendu papa rabattre le lit. Maman était debout près de l'évier, juste derrière.

– Peter est méconnaissable, Hermann, méconnaissable, et tu sais très bien pourquoi. Tu as vu le regard de cette petite fouine quand elle est entrée ? Et ne compte pas sur Edith Frank pour dire quoi que ce soit ! Jamais ! Sa fille est bien trop parfaite pour être responsable de quoi que ce soit, penses-tu ! Je me demande ce qu'elle dira si les choses vont trop loin ?

– *Ach !* marmonne papa.

– Tu sais ce qu'elle m'a dit ? Que j'étais jalouse. Jalouse d'une gamine de quatorze ans, tu imagines ?

Vagues murmures.

– Peter est un jeune garçon tout ce qu'il y a de plus normal, commente maman. Et Anne est une jeune fille.

Nouveaux murmures paternels.

– Mais comment savoir s'il est capable d'être raisonnable jusqu'au bout, Hermann ? Qu'est-ce que nous aurions fait, nous, au même âge ? Si tu t'imagines qu'on aurait attendu dans une situation pareille, c'est parce que tu as la mémoire courte ! ajoute-t-elle en éclatant de rire.

Un long silence suit. De plus en plus pesant. Le lit se met à grincer. Ouste ! Je décampe.

16 avril 1944 – Peter est réfugié
dans l'entrepôt

Désormais je ne suis plus jamais seul. Même quand je m'isole dans l'entrepôt, l'image d'Anne me hante. Je nous imagine tous les deux ici, au cœur de la nuit secrète et du silence. J'imagine que je la serre contre moi tandis que nous respirons le parfum des épices – le parfum de tout ce que nous pourrions faire ensemble.

Jusqu'au jour où je frôle la table avec ma hanche et sens un objet qui tombe. Un crayon. Étrange. Comment a-t-il pu échouer ici ?

> *Oui, il y avait des indices. De nombreux indices. Quelqu'un nous surveillait.*
> *L'échéance se rapproche. Mais je n'écoute plus rien, ne vois plus rien.*
> *Je me languis tellement...*
> *D'Anne.*

Dès que nous avons le temps, nous montons au grenier, nous nous blottissons l'un contre l'autre et nous bavardons, bavardons sans fin. Jamais je n'aurais cru que j'avais tant de choses à dire. Tant de pensées. Anne m'étonnera toujours.

– Qu'est-ce que ça veut dire l'amour, après tout ? me demande-t-elle un jour. Tu crois que tu as besoin d'être marié pour éprouver de l'amour ?

– Non.

– Parfaitement ! Regarde nos parents, tu trouves que ce sont de brillants exemples de ce que signifie s'aimer ?

– Disons que... oui, je pense que les miens s'aiment sincèrement, même s'ils se chamaillent, avoué-je en pensant à papa évoquant la tenue rose de maman, ou à leur lit qui grince. Mais je préfère ne rien dire de peur qu'elle n'en parle dans son journal.

– Moi, je pense que papa n'aime pas ma mère.

– Ah, bon ? Pourtant ils ne se disputent jamais.

– Justement, il n'y a plus de passion.

Voilà qui me fait réfléchir. Pourquoi Anne et moi ne nous disputons-nous jamais ?

27 avril 1944 – Anne et Peter s'embrassent

Je suis allongé sur mon lit, Anne entre mes bras. Aussi naturellement que si j'avais Muschi sur les genoux. Çà et là, je glisse une main sous l'étoffe de sa robe et je caresse la courbe de son épaule.

Jaloux, Muschi essaie de se faufiler entre nous. Je le repousse.

J'ai l'impression qu'Anne a recommencé à pleurer. Silencieusement, la tête sous mon épaule. Peu à peu, ses larmes trempent mon bleu de travail. Comment une personne aussi petite peut-elle contenir autant d'émotions ? Je la serre contre ma poitrine. Sans un mot. Pourquoi ne dit-elle plus rien ? Pourquoi ne m'avoue-t-elle jamais sa tristesse ? Bientôt vingt heures trente. Nous nous levons. Il faut que j'y aille. Elle se réfugie près de la fenêtre. J'aime bien cette façon d'avoir des habitudes. Elle tremble. Je tends les bras pour l'apaiser quand, soudain, elle me plaque contre le mur. Je sens le poids et la chaleur de son corps contre mon cou. La douce pression de ses lèvres sur ma joue. Je suis surpris, c'est arrivé si vite. Ma bouche naturellement contre la sienne.

Peu importe ce que je pense, peu importe le respect que j'ai pour son père – tous mes efforts pour être un homme et éviter de prendre ce qui ne m'appartient pas.

Elle appuie son corps contre le mien, s'y accroche. Nos bouches se pressent l'une contre l'autre. Je ne peux plus m'arrêter. Je ne veux plus m'arrêter. Ses yeux brillent de larmes, et d'autre chose. Que je suis incapable d'identifier ni de reconnaître.

– Anne...

Mais déjà elle s'en va, sans me laisser le temps de poursuivre. Et soudain je songe : « Elle a hâte de raconter la scène dans son journal. »

Muschi tournicote autour de mes chevilles, agitant la queue, en colère.

– Qu'est-ce qu'il y a ? je lui demande en le prenant dans mes bras.

Tête haute, il se blottit entre mes deux mains pour que je le caresse entre les oreilles. Puis, soudain, se laisse aller sur mes genoux. Et si c'était Anne, allongée là, pendant que je promènerais mes mains sur son corps ?

– Non, murmuré-je alors que j'en rêve.

Nous avons peur.

Peur que ce soit notre dernière chance.

Non pas demain.

Mais ici.

Et maintenant.

29 avril 1944 – Peter attend Anne

Je brûle d'envie d'être de nouveau seul avec elle. Je me rince la bouche et me débarbouille le visage. Je m'installe à mon bureau quand soudain elle débarque.

– Peter, demande-t-elle en s'asseyant, tu penses que je devrais en parler à mon père, à propos de nous deux ?

– Bien sûr, si tu estimes que c'est ton devoir.

En vérité, je suis effondré. Est-ce parce qu'elle a besoin d'une excuse pour tout arrêter ? Elle hoche la tête, distante, polie, comme si c'était ma secrétaire, comme si ce baiser n'avait jamais eu lieu. Son corps a-t-il déjà oublié ? Le mien, sûrement pas. La veille en m'endormant, je sentais la pression de ses deux petits seins contre ma poitrine. Vive et soudaine, tel le désir.

– Je peux te faire confiance, Peter ?

Je rougis. Ne dis rien. Que cherche-t-elle ? « C'est toi qui as commencé, ai-je envie de répondre, et je ne peux plus m'en empêcher. Plus m'empêcher d'espérer ton retour. »

Mais elle parle, parle, parle... jusqu'à la tombée du jour.

– Ça va ? me demande-t-elle, s'apercevant que je ne bronche pas.

– Je pourrais te regarder pendant des heures. T'écouter pendant des heures.

– Attends...

Tout à coup, elle sort et revient quelques secondes plus tard en cachant quelque chose dans ses mains. Son journal ! Je n'en reviens pas. Son fameux trésor, si précieux que son père le cache dans une mallette au pied de son lit, la nuit.

– Tiens, dit-elle en me le tendant. Lis, j'ai marqué la page. J'y réfléchis depuis la tentative de cambriolage, j'ai même

207

essayé de te le dire, mais je n'y arrivais pas, c'est plus facile à écrire.

J'ouvre le journal à la page indiquée. Son écriture est soignée, fine. Aussitôt, les mots me sautent aux yeux. Elle s'interroge sur l'amour, sur le sens de l'amour. « L'amour physique en fait partie tôt ou tard [...] que l'on soit marié ou non, que l'on ait un enfant ou non. Que l'on ait perdu son honneur, peu importe, si l'on est sûr d'avoir à côté de soi pour le reste de sa vie quelqu'un qui vous comprenne et que l'on n'ait à partager avec personne ! »

Je relis, lève les yeux. Elle m'observe, attendant que je réagisse. Je me concentre pour essayer de comprendre ce qu'elle veut dire, mais je suis perplexe.

– Tu te poses vraiment autant de questions ?

– J'ai beaucoup réfléchi. Je sais que demain tout peut s'arrêter.

– Et cette histoire d'honneur perdu ?

– Si la personne en vaut la peine et si elle n'est pas amoureuse d'une autre, répond-elle avec ce regard dur, auquel rien n'échappe. C'est pour ça que je t'ai demandé si je pouvais te faire confiance. Je ne supporterais pas l'idée de ne pas être la première.

– Anne Frank, tu es impayable !

– Je te remercie, dit-elle en souriant et en esquissant une fausse révérence.

Je referme le journal. Elle est là, debout, près de la fenêtre, petite, volontaire, réfléchissant sans cesse. Espérant toujours. Curieuse de tout. Incapable d'accepter d'être la seconde, alors que nous sommes tous secondaires par rapport à son journal.

Cet instant précis. Je suis habité par cet instant. Habité par elle. Liese a disparu. Seuls demeurent Anne et moi.

– Oui, tu peux me faire confiance, dis-je en lui rendant son journal. Pour moi, tu seras toujours la première.

– Mais le jour où on sortira d'ici, tu m'oublieras, n'est-ce pas ? me répond-elle en inclinant légèrement la tête, m'offrant son beau sourire de vedette de cinéma.

Et voilà, c'est une autre Anne Frank, la fille aux mille visages dont je ne sais jamais lequel est le vrai. Je lui en veux. Comment ose-t-elle me traiter ainsi et m'imposer ces petits jeux alors que j'ai tant de mal à oublier Liese ?

– Pas du tout, je t'interdis de penser ça de moi !

Car jamais je n'oublierai Anne Frank – quoi qu'il arrive.

– Comment peux-tu en être sûr ? reprend-elle en levant un sourcil avec une moue étudiée.

Elle m'exaspère. Je me détourne sinon je vais la gifler. « Non, ceci n'est pas un jeu, Anne, et tu n'es pas une vedette de cinéma, pas plus que je ne suis un gamin avec une douleur à l'aine ! »

– Tu ferais mieux d'y aller, dis-je.

Elle prend son journal et se lève.

– Peter ? bredouille-t-elle, blanche comme un linge. Je...

– Excuse-moi, Anne, mais tu changes trop vite d'humeur, tu inventes tous ces petits jeux, tu...

– Je sais. Moi aussi, ça me déstabilise, Peter.

– Vraiment ?

– Bien sûr.

– On ne dirait pas !

– Justement, c'est ça qui est pénible. J'ai l'impression qu'il n'y a que dans mon journal que je suis vraiment moi.

– Si tu savais comme je le déteste, ce journal, parfois !

– Pourquoi ?

– Parce qu'il est toujours prioritaire et je suis toujours secondaire. En plus, on dirait que tu ne passes du temps avec moi que pour avoir quelque chose à raconter.

– Peter !

– Je te promets.

– Je... je..., bafouille-t-elle tandis que nous nous asseyons, je ne me permettrais jamais de parler de toi dans mon journal si tu ne m'avais pas donné l'autorisation.

– C'est vrai ?

– Enfin, corrige-t-elle en rougissant un peu, j'aurais peut-être utilisé une ou deux scènes pour une de mes histoires, mais c'est différent, n'est-ce pas ?

– Comment veux-tu que je te réponde ? Tu as déjà vu quelqu'un te transformer en personnage ? Tu t'es déjà demandé l'effet que ça fait de se retrouver sous les traits de Hans dans *La Vie de Cady*[1] ?

– Comment tu le sais ? réplique-t-elle en serrant son journal contre sa poitrine.

– Difficile de ne pas le comprendre.

– Tout ce que je peux dire, répond-elle d'un air bravache, c'est que rien n'est délibéré. Je n'y pense pas, j'écris et ça... euh... ça vient.

– En effet, noir sur blanc, comme si c'était vrai.

– C'est comme ça que tu le prends, alors ?

– Oui, j'ai l'impression d'avoir été volé.

– Je suis navrée, dit-elle, les larmes aux yeux. Sincèrement, je n'aurais jamais deviné, mais c'est plus fort que moi, écrire, c'est comme...

– Tomber amoureux ?

Ma réponse a fusé, en plein dans le mille. J'ai compris : elle aime écrire comme moi j'aime Liese. Nous avons chacun quelqu'un d'autre.

Brusquement, elle file.

Peu après, je descends dans l'entrepôt. Je m'assieds contre le mur, j'étire mon cou, je respire profondément et je relâche la tête.

---

1. Anne était alors en train d'écrire un récit intitulé *La Vie de Cady*.

Dans quelle mesure ai-je le droit d'avoir envie de faire l'amour avec elle parce que je sais que nous pouvons mourir d'un jour à l'autre ?

Et si Liese survivait ?

Si je trahissais M. Frank ?

Si Anne ne partageait pas mon désir ?

J'aurais besoin de me consoler avec Moffi, mais il a disparu. Comment faire si je ne peux plus plonger le nez dans sa fourrure ou chatouiller le bout de ses pattes quand il glisse le long de mon corps ? Où es-tu, Moffi ?

– Je ne sais pas, murmuré-je tout seul.

Je ne sais plus.

Ni ce qui est bien ni ce qui est mal.

30 avril 1944 – M. Frank interroge Peter

– Peter ?

M. Frank est debout dans l'encadrement de ma porte. (Aussitôt je me lève.) Je pensais que je pouvais te faire confiance, ajoute-t-il.

– Vous pouvez, monsieur.

– Je ne suis pas sûr que tu comprennes, Peter. Il ne s'agit pas de la situation politique, il s'agit de ma fille. Tu ne serais pas… amoureux d'elle ?

– Peut-être, dis-je en haussant les épaules. C'est vrai que nous nous entendons très bien. Je crois que… nous nous rendons heureux, enfin… c'est ce qu'il me semble.

– Et le désir ? Moi aussi, j'ai eu ton âge.

« Non, pas dans de telles conditions », pensé-je. Une fois de plus, j'ai peur de l'avoir trahi.

– Je suis capable de me discipliner.

– Je n'en doute pas, et Anne aussi, mais le problème se pose quand vous êtes ensemble.

« Est-ce ainsi que vous avez fini par épouser Mme Frank ? »

– L'amour est un sentiment difficile à maîtriser, Peter ! Le meilleur conseil que je peux te donner c'est d'éviter Anne. Autrement dit, ne passe pas des heures en tête à tête avec elle. C'est compris ?

J'acquiesce silencieusement, puis il se lève et s'en va.

Si je comprends bien, elle a parlé de nous à son père.

Pourquoi ?

5 mai 1944 – Anne est en colère

– On a le droit de faire ce qu'on veut ! se défend Anne. Ils sont incapables de se mettre à notre place. De comprendre tout ce qu'on a perdu. Il faut qu'on se fie à notre jugement et qu'on fasse ce qui nous semble bien, tu n'es pas d'accord ?

– Si, du moment que ça reste entre nous.

Il suffit que je croise son regard pour comprendre que, au fond, nous sommes seuls, chacun de notre côté, avec la même question brillant au fond des yeux, nous sondant l'un l'autre pour trouver la réponse.

La chaleur est telle que l'air semble vibrer sous les combles.

– Je meurs de chaud, murmure Anne en s'allongeant et en s'étirant dans le carré de soleil.

Elle a fermé les yeux. Doucement, je me lève pour aller bloquer la trappe avec un sac de haricots. Je m'allonge à côté d'elle, appuyé sur un coude, et je l'observe, éclairée par les rayons du soleil. Un imperceptible sourire affleure sur son visage, mais elle a les yeux clos.

– Arrête de me regarder !

– Tu es superbe.

J'entremêle délicatement mes doigts avec les siens et dépose un doux baiser sur son front. Elle lève la tête et pose ses lèvres sur les miennes. Nous nous embrassons longuement, les yeux dans les yeux.

– Anne ?

Je caresse sa nuque. Son cou est si frêle qu'il tient presque entièrement dans ma main. Je tremble. Je sens l'os où la tête et la nuque se rejoignent, si fin, si fragile.

Elle frémit légèrement. Je promène mes mains le long de sa colonne vertébrale et je sens sa respiration ralentir et se muer en un ronronnement qui me rappelle Muschi. Elle s'étire, soupire, se retourne sur le dos, ferme les yeux. Je pose la main sur son ventre. Concentré.

– Anne?

– Peter?

Elle rouvre les yeux. Nos visages se frôlent. Je passe une main dans ses cheveux, à la fois doux et rêches. Nous nous rapprochons, serrés l'un contre l'autre sous la lumière, sa peau plus douce que jamais. Tel un morceau de bois à la courbe idéale, encore plus lisse, plus vivant, ici, entre mes deux mains. Si proche que je ne sais plus où elle finit ni où elle commence.

Soudain, elle recule. Souple. Vive. Essoufflée.

– Oh! s'écrie-t-elle en me scrutant.

Vite, je me lève.

– Ne t'inquiète pas, dis-je, reculant moi aussi.

J'ai le vertige: les rayons du soleil, la fenêtre, le linge qui sèche, tout tourne autour de moi tandis qu'Anne s'éloigne. Je la retiens par la main.

– Peter! chuchote-t-elle. Peter!

Je reprends ma respiration, essaie de revenir sur terre, de me rappeler où je suis, qui je suis.

– Anne?

– Tout va bien. Mais c'est… c'est… tellement plus concret que ce que j'imaginais!

– Tu me promets que tu n'en parleras pas dans ton journal?

– Promis. Peter?

– Mmmm…

– Je ne suis pas avec toi pour avoir quelque chose à raconter dans mon journal.

– Merci, dis-je en allant à la fenêtre.

Le ciel est bleu pâle, et la mer se déroule à l'horizon, tel un grand ruban sombre. Je contemple le paysage jusqu'à ce que mon corps ne crie plus de désir et s'apaise. Un long silence suit.

– Tu penses que tu resteras en Hollande après la guerre ? m'interroge Anne, debout de l'autre côté de la fenêtre.

– Non. J'irai dans un pays où il fait chaud.

– Tu n'as plus envie d'être hollandais ?

– Je ne veux pas être quoi que ce soit.

– Comment peux-tu affirmer une chose pareille ?

– Pourquoi pas ?

– C'est pas juste, répond-elle avec passion. (Si seulement elle pouvait avoir la même passion quand elle est dans mes bras.) Si on était chrétiens, on serait comme tout le monde ! Il suffit qu'on fasse un faux pas pour que tous les Juifs soient montrés du doigt ! J'aimerais bien savoir pourquoi.

– Tu as raison, mais peut-être que certains de nous sont responsables, à force de se croire exceptionnels.

– Mais ils ont raison, il faut qu'on préserve nos traditions, surtout quand elles sont menacées. Nous devons être fiers !

– Nous sommes fiers, trop fiers, peut-être.

– Peter !

– Je préfère l'idée que je suis responsable de mes actes, pas de ceux de tout un peuple. Tu n'es pas d'accord ?

– Si, mais...

Soudain, elle éclate de rire, tel un immense rayon de lumière balayant la pièce. Ou un crayon qui se mettrait à dessiner en devançant la main qui le tient.

– Qu'est-ce qui te fait rire ?

– Tu imagines ? bredouille-t-elle, pliée en deux, si tu étais le dernier garçon survivant...

– Tu trouves ça drôle ?

– Peter van Pels, vous êtes le dernier homme et votre mission est de procréer pour faire perdurer la race !

J'éclate de rire à mon tour et nous nous écroulons dans les bras l'un de l'autre, essayant de nous calmer.

– Tu serais comme... comme mon vieux manuel d'algèbre,

bafouille-t-elle entre deux hoquets. Usé jusqu'à la corde. Avec au moins vingt noms de filles qui l'ont eu avant moi !

J'imagine déjà des rangées entières de bonnes jeunes filles juives prêtes à accomplir leur devoir dans l'espoir de perpétuer la race et je ris de plus belle…

– Anne ?

Pas de réponse.

– Anne, arrête, c'est pas drôle.

Elle se fige.

– Je sais. Pardon.

– Pardon, moi aussi.

– Alors, tu irais où si tu pouvais ?

– Le plus loin possible. Dans un pays ensoleillé. Tu sais quel est le mot que je préfère ?

– Non.

– El Dorado.

– Pourquoi ?

– Parce que… Ça veut dire « en or », non ? Autrement dit, ce dont tu rêves, ce que tu cherches à découvrir. Ce qui peut te rendre riche comme Crésus !

Soudain, je comprends que c'est elle, Anne, que je cherche à découvrir.

– Ah, dit-elle simplement. Mais la richesse n'est pas forcément synonyme d'argent !

Peu après, je la croise dans l'escalier et je l'appelle « mon Eldorado » pour qu'elle sache que je ne parlais pas d'argent[1] !

– Tu es mignon, répond-elle, mais j'ai du mal à imaginer un nom pareil.

Pourquoi pas ? Si la personne vaut de l'or et qu'elle est encore à découvrir ?

---

1. Ce qui eut effectivement lieu le 25 avril.

A-t-il jamais existé, ce monde où nous pouvions parler, rire et penser librement ?

Ce monde où personne n'était déshabillé de force, dépouillé, contraint de réfléchir à la condition de l'homme quand il ne lui reste plus rien hormis sa volonté de survivre ?

M. Frank m'a préservé d'un tel cauchemar.

Au moins à l'époque où nous étions ensemble.

J'ai déjà parlé de la soupe ? Ce désir fou de sentir qu'elle me remplisse l'estomac ? Ce rêve d'obtenir quelques louchées supplémentaires de liquide brûlant. Même en sachant que je me réveillerai en pleine nuit à cause de la pression de ma vessie.

Une nuit, je me suis levé alors qu'il faisait un froid glacial. Les étoiles luisaient haut dans le ciel. Lointaines. Lumineuses. Glacées. J'ai été frappé par leur beauté et je suis resté quelques instants pour les admirer. Quelques instants. Un instant. De nouveau, je me sentais humain. Puis l'instant s'est évanoui.

26 mai 1944 – Peter désire Anne, Anne désire écrire

La situation a évolué. Le débarquement se rapproche. Toute l'Annexe est en émoi. Une fois, on annonce des bombardements. Deux minutes plus tard, nous sommes perdus parce que les nazis sont prêts à nous noyer comme des rats en inondant la Hollande plutôt que d'abandonner le pays.

À l'extérieur, les gens meurent de faim. Comme nous. Je rêve de retrouver le goût d'aliments frais, qui n'aient pas passé des mois entiers conservés au fond d'un tonneau. Tout est pourri.

On espère être libérés d'ici la fin de l'année. Anne est excitée comme une puce à l'idée d'être libre, mais aussi à l'idée que son journal serve de témoignage de cette vie clandestine.

– Sauf qu'on s'ennuie tellement…, ne puis-je m'empêcher de répondre d'un ton las.

– Ça dépend comment tu envisages les choses, répond-elle, ce qui m'inquiète un peu.

J'en ai assez, je vais me réfugier dans la réserve. Bizarre, quelqu'un a renversé un sac de farine. Pourvu que ce soit Moffi, en même temps ça m'étonnerait, il est bien trop agile. Que faire ? Laisser ou nettoyer ?

– Tu as marché dedans ? m'interroge M. Frank.

– Non.

– Dans ce cas-là, n'y touche pas.

Il a l'air préoccupé. Quant à moi, je ne peux plus aller dans la réserve le week-end. Je me sens d'autant plus prisonnier. Tant pis, j'irai dans l'entrepôt.

La porte est coincée mais je finis par arriver à la pousser. Muschi me suit, prudent, comme s'il guettait la présence de Moffi, l'ennemi invisible. Discrètement, je me glisse contre le mur, quand soudain j'aperçois le butoir : voilà pourquoi j'ai eu du mal à ouvrir. Trop tard. Impossible de le remettre en place en refermant. Mais qui l'a mis là ?

Vite, je remonte prévenir M. Frank.

– Merci, Peter. Ça reste entre toi et moi, promis ?

Du coup, je n'ai plus envie de descendre. Je préfère que Muschi reste aussi en haut. Toujours aucun signe de Moffi. J'ai la conviction qu'il s'est enfui, même si je continue à espérer qu'un jour il réapparaîtra au moment où je m'y attendrai le moins, pour venir se blottir entre mes bras.

On dirait qu'Anne est électrique. À tel point que, quand je l'effleure, je suis étonnée qu'elle ne s'enflamme pas, de chaleur, de passion pour tous ces mots, ces idées, cet espoir qui jaillissent d'elle.

Hélas, je suis loin d'être l'objet de sa passion.

– Peter ?

– Oui ?

– Tu sais pourquoi j'écris ? Parce que je veux que les gens sachent. Je veux qu'ils ressentent ce que je ressens. Qu'ils comprennent ce que c'est que d'avoir peur. De regarder par la fenêtre et de voir ton peuple emporté alors que tu es en sécurité au fond de ton lit. De manger alors qu'ils meurent de faim. S'ils comprennent, s'ils éprouvent la même chose, ils ne recommenceront jamais, tu ne crois pas ?

Ses yeux luisent, brillent, brûlent. Sidérants.

– Penses-tu ! On n'est pas en sécurité au fond de notre lit !

À quoi bon répondre ? Elle en est parfaitement consciente. Elle redoute le pire, dix fois plus que nous, même. Souvent, je la surprends tremblant de peur. Et je le sens quand je la tiens dans mes bras. Elle tremble en permanence. De crainte. D'excitation. De désespoir. Et désormais d'espoir, incarné par son journal. Grâce à lui, elle se souvient plutôt qu'elle n'oublie. Elle espère plutôt qu'elle n'attend, impuissante, comme nous.

– On attend depuis si longtemps, Peter! On patiente depuis si longtemps! Tu ne trouves pas que...

– Quoi?

– Tu ne crois pas que Dieu nous protège pour une raison précise? poursuit-elle. Un but? Il ne faut pas désespérer, c'est un péché, surtout vu tout ce que nous avons, ajoute-t-elle en désignant la fenêtre derrière laquelle le soleil brille à travers les branches du marronnier, tel un feu d'été.

Telle est Anne – pleine d'espoir, de vie, de confiance. C'est épuisant.

– Pourquoi nous protégerait-il?

– Comment ça?

Elle a l'air interloquée, surprise que j'aie osé répondre. Après tout, elle avait tout dit, n'est-ce pas?

– Pourquoi Dieu nous sauverait-il, nous, alors qu'il en a abandonné des milliers?

– L'autre jour, j'ai rêvé de mon amie Hanneli, une fille que tu ne connais pas, me confie-t-elle après un long silence. Elle a été emmenée par les Allemands.

Inutile qu'elle poursuive. Nous rêvons tous à ceux qui ont été emmenés mais nous n'en parlons jamais. Nous n'en avons pas besoin. Leur nom est écrit sur notre visage le lendemain, il se lit dans nos yeux cernés, nos mouvements lents, comme si nous nous déplacions prudemment autour de la personne disparue. Par égard pour elle. Ou parce que nous avons peur d'être contaminés. Peu importe. En tout cas, nous nous donnons du temps. Et de l'espace. Mais de ça, nous refusons de parler.

– On a tous les mêmes cauchemars, Anne.

Je pense au crâne rasé de Liese pesant entre mes mains. Non, je refuse qu'elle me confie ses cauchemars. J'ai assez des miens.

– J'ai été cruelle avec Hanneli, Peter. Si jamais je sors d'ici, j'irai la voir pour lui demander pardon. Promis.

Soudain, elle a l'air tourmentée, agitée. Que puis-je faire pour elle ? Sa sensibilité semble toujours à fleur de peau.

– Tu étais une gamine, Anne. Ton père le disait l'autre jour, les enfants sont souvent cruels entre eux, sans le vouloir, comme les animaux.

– Et si elle était morte ? Je n'aurai peut-être jamais l'occasion de lui demander pardon.

Elle est si menue, si fragile, si désemparée. C'est plus fort que moi, je la prends dans mes bras, même si je sais que ça ne sert à rien, jamais elle n'aimera comme elle aime son journal, mais au moins ça la soulage. Et j'ai l'impression d'être fort. Sûr de moi. Sûr que pour une fois je protège quelqu'un. Elle, Anne.

La nuit dernière, j'ai rêvé d'elle.

Je me balançais sur un trapèze, en hauteur, quand des corps ont commencé à pleuvoir autour de moi. J'essayais de les rattraper mais ils me glissaient entre les mains. De plus en plus bas, de plus en plus loin. Des milliers de corps. Le crâne rasé et le regard accusateur. Jusqu'au moment où j'ai entendu sa voix murmurer « Peter », et nos yeux se sont rencontrés.

« Anne ? »

Elle voulait me dire quelque chose mais je n'entendais rien, alors elle a recommencé à tomber, glisser... plongeant au milieu de centaines, de milliers de corps, comme autant de gouttes d'eau. Puis la chute s'est arrêtée. Le monde était désert. Je me suis redressé sur mon trapèze dans une obscurité totale. Avec un morceau de papier entre les mains, qu'elle m'avait remis, qui vibrait dans l'air.

Le lendemain matin, tout le monde s'est écarté de moi en me voyant arriver dans la cuisine. Mon cauchemar était gravé sur mon visage.

Vous voyez ? Nous savions. Ça devait arriver. Le filet se refermait peu à peu. Nous n'étions que du menu fretin remuant pour survivre et luttant pour une dernière bouffée d'air. Autrefois, à l'époque de Zuider-Amstellaan, nous en riions. « Qu'est-ce qu'ils vont rationner, cette fois-ci ? demandait papa en plaisantant. L'air que nous respirons ? »

Oui, papa, ils l'ont transformé en gaz et ils t'ont tué avec.

Et si c'était un autre rêve ?

Un autre cauchemar ?

Une autre histoire ?

Et à la fin, ce qui arrive, inexorablement.

Vous souriez et vous vous apprêtez à partir. Vous faites quelques commentaires qui prouvent que vous ne m'avez pas entendu.

Vous partez.

Est-ce ainsi que cela est voué à se passer ?

6 juin 1944 – Le débarquement a commencé

Les Anglais bombardent toute la côte du Nord de la France. Il pleut sur le canal. Je rêve de sentir la pluie sur mon visage. Si l'on m'accordait un seul pouvoir, ce serait celui de me rendre invisible et de sortir ni vu ni connu dehors. À peine l'ai-je avoué à Anne qu'elle lève les yeux de la revue qu'elle feuillette en me lançant :

– Arrête de dire des bêtises. Si tu étais invisible, ça voudrait dire que tu n'existes pas.

Je réfléchis en l'observant, souriant.

– Tu ne penses pas ? reprend-elle.

– Je ne sais pas… En même temps, je serais… ici, non ?

Elle soupire, exaspérée. Depuis quelque temps, je sens que je l'agace. Au début, c'était M. Frank qui m'en voulait de passer trop de temps avec elle. Maintenant c'est elle, parce qu'elle n'attend plus qu'une chose, la Libération, pour peaufiner son journal.

– Imagine, si tu pouvais, poursuit-elle, tu crois que ce serait vraiment toi ? La même personne, avec la même histoire ? Honnêtement ?

À présent, elle sourit, facétieuse, prête à blaguer. Je préfère ne rien répondre, car je la connais, quand elle est d'humeur moqueuse, je suis facilement laminé.

Je regarde la fenêtre. J'ai envie de balancer mon poing contre la vitre. La briser, sentir le verre exploser, voir du sang couler. Hélas, je sens que si je frappais le carreau, il résisterait, et je serais encore plus piégé, comme avec Anne, dix fois plus maligne que moi. De nouveau elle soupire, ostensiblement.

– Tu n'as rien à ajouter ? me lance-t-elle. Pour une fois, ça m'étonne, conclut-elle en se replongeant dans sa revue avec un air écœuré.

– Tout à fait, j'ai plein de choses à dire !

– Quoi, je peux savoir ?

Je sens que je vais exploser, et elle a dû avoir peur car elle me tend la main en murmurant :

– Peter… Je…

Le grenier est baigné par une lumière crépusculaire de fin d'été. Entre chien et loup. Une lumière qui me rassure et m'apaise.

– Peter van Pels, je m'appelle Peter van Pels, je répète à mi-voix, comme si c'était un miracle, que je sois ici, en vie, au milieu des autres, survivants miraculeux eux aussi.

– Bon, d'accord, c'est comme ça que tu t'appelles, et alors ? Ton identité ne se résume pas à ça, que je sache ?

– Si, moi ça me suffit. Peter van Pels. Ni juif, ni hollandais, ni allemand, simplement moi !

– Tu parles ! Peter van Pels, trop lâche pour assumer l'idée qu'il est juif. Trop lâche pour avoir le courage de témoigner !

– Pas du tout !

Non, je ne me sens pas lâche, ni parce que je ne me suis pas battu pour essayer de sauver Liese, ni parce que je rêve de devenir invisible pour sortir de là. Je me sens lâche parce que je suis incapable de le dire. Comme en ce moment, dans l'obscurité, face au regard accusateur d'Anne. Je ne sais plus qui je suis. Voilà ce que je voudrais dire.

– Tu n'as rien compris !

– Un jour, le monde entier découvrira la vérité ! s'écrie-t-elle, tel un coup de poing dans le noir. Notre histoire, pas la leur. Et nous serons fiers d'être juifs !

– Très bien. Mais moi, j'aimerais qu'on puisse être ce qu'on a envie d'être. Nous sommes tous des êtres humains. Nous avons le droit d'être ce que nous voulons, sauf nazis. C'est tout.

– Non, il faut que nous survivions. Que nous puissions apporter notre témoignage !

– C'est ta façon de voir les choses.

– Tu peux me dire quelle autre façon il existe ? Tu trouves ça satisfaisant de vivre comme s'il ne se passait rien, de passer notre temps à s'embrasser ?

– Tu peux répéter ?

Elle a piqué un fard.

– C'est comme ça que tu vois les choses ?

– Non, je t'ai posé une question : quelle solution proposes-tu, si ce n'est témoigner et raconter notre histoire ?

Je suis incapable de répondre à sa question. D'autant moins que c'est la seule qui importe. Mais en écoutant Anne, j'ai l'impression d'avoir une responsabilité trop grande, d'étouffer sous le poids du devoir de survie. Elle m'empêche de me détendre. De dormir. Comme une clochette de tramway résonnant sans fin à mon oreille.

– Anne, dis-je en m'asseyant à côté d'elle. Et si nous vivions aux Pays-Bas mais que ça n'était qu'un nom ?

– Le fait est que c'est un nom, répond-elle, irritée.

– Je sais mais...

Elle éclate de rire. Tant pis, je poursuis :

– Imagine, si la Hollande et Amsterdam n'étaient que des lieux abstraits ? Des endroits dont tu prononcerais le nom comme celui d'une destination rêvée ?

J'ai conscience de m'embrouiller et elle ricane.

– C'est évident, répond-elle très simplement.

– Dans ce cas-là, la Hollande est simplement la Hollande pour toi ? Non pas la Hollande, le pays qui nous a permis de nous sauver ? Ni Amsterdam, cette ville qui est devenue tellement dangereuse parce que les gens meurent de faim et sont prêts à tout, y compris nous dénoncer ?

– Ah! Dans le sens où les gens associent certaines idées à chaque lieu! Bien sûr que je comprends.

Elle est tellement rapide qu'elle me tue.

– Alors imagine si on n'associait rien?

– Comment ça?

– Si on n'associait rien, ni aux lieux ni aux religions?

– C'est impossible, gros bêta. Ce serait inhumain.

– Tu crois? S'il n'y avait ni l'Allemagne, ni la Hollande, ni la France, ni la Belgique, il n'y aurait personne contre qui se battre?

Pour une fois elle se tait. Ce qui m'encourage à poursuivre:

– Imagine encore, s'il n'y avait pas de chrétiens, pas de juifs, si on avait le droit d'être de simples personnes, Anne, Peter... Ça, c'est ce que nous sommes vraiment. Nous ne sommes pas seulement juifs. Nous sommes qui nous sommes, toi et moi, ici, au grenier, chacun avec nos émotions... Par exemple, moi, avec mon désir pour toi... et toi, ton désir de sauver le monde. Tu crois vraiment qu'il faut que l'un ou l'autre ait raison? Tu ne crois pas que deux personnes peuvent avoir raison en même temps?

Je tremble. Jamais je n'ai autant parlé ni avec autant de conviction. Elle se lève, telle une ombre dans la semi-obscurité. Un instant, j'ai cru qu'elle allait se retourner pour me prendre dans ses bras, comme si c'était notre dernière chance et qu'elle était prête à la saisir.

– Je te suis reconnaissante, Peter.

– Pourquoi?

– Parce que je viens de comprendre quelque chose.

– Quoi?

– Que ce à quoi je tiens le plus, c'est mon écriture.

– Ah.

– Tout le reste, y compris toi, papa, vous venez après.

– Je sais, mais je me disais que...

– Je ne peux pas, Peter. Je suis incapable de penser à autre chose, si ce n'est que la fin approche et que nous avons la chance de pouvoir témoigner. Pour moi rien n'est plus important, et j'ai du mal à comprendre que tu veuilles renoncer à être juif.

– Pas du tout. Je suis né juif, bien sûr que je ne peux pas le nier. Ça ne me viendrait même pas à l'idée, mais c'est à moi de choisir ce que je veux en faire. Jamais je ne refuserai de soutenir les Juifs, ni quiconque a connu des souffrances aussi atroces que les nôtres.

– Tu crois à quelque chose ?

– Oui.

– À quoi, par exemple ?

– Je crois en l'homme.

– D'accord, mais pas en Dieu ?

Elle est choquée. Moi aussi. Choqué de m'entendre exprimer tout haut ce à quoi je réfléchis depuis si longtemps. De façon aussi claire. Aussi réelle. Comme une porte qui se refermerait entre elle et moi. Une porte que nous venions à peine d'entrouvrir.

– Ce n'est pas l'idée de Dieu qui me gêne, je poursuis, c'est l'idée de choisir. L'idée qu'une religion soit meilleure qu'une autre. En quoi Dieu décide-t-il différemment des nazis ? Je ne vois pas…

– En effet, tu ne vois rien ! s'écrie-t-elle, horrifiée. Tu ne crois à rien, rien du tout.

– Si, je crois aux personnes ! Je crois en toi, en moi, je crois même en Pfeffer.

Je voudrais lui expliquer, avouer que si je suis condamné à mourir, je ne veux pas que ce soit parce que je suis juif, sûrement pas, je veux mourir parce que… parce que je hais les nazis et tout ce qu'ils incarnent. Je refuse l'idée qu'ils décident ce pour quoi je dois mourir… je voudrais résister… Mais je suis incapable de le formuler, et un long silence s'installe tandis qu'Anne regarde par la fenêtre, absente, déjà ailleurs.

– Tu es lâche, Peter, conclut-elle, tu as peur de déclarer que tu es juif parce que tu ne veux pas qu'on te compte parmi les Juifs.

Elle n'a peut-être pas tort. Je ne sais plus. Voilà tout ce que je sais :

– Je ne suis pas juif pratiquant, mais ça ne fait aucune différence. S'ils me trouvent, de toute façon ils me tueront.

– Ça n'est pas une question de choix, Peter. Plus tard, peut-être, mais sûrement pas maintenant au milieu d'un tel cauchemar !

S'il y a une chose qu'Anne m'a apprise, c'est que le plus important n'est pas ce que nous voulons, mais ce que nous sommes. Et ça, nous n'y pouvons rien, quand bien même nous serions les derniers survivants sur terre.

– Mais c'est ce que je voulais dire, Anne, pour moi, ça doit être un choix.

– Tu as tort. Tu abandonnes les tiens.

– Anne ! Jamais je ne t'abandonnerai !

– Trop tard ! s'écrie-t-elle en reculant.

Aussitôt, elle se détourne et s'enfuit.

– Formidable, murmuré-je. Bien joué, Peter.

J'aimerais tant qu'elle revienne. La prendre dans mes bras. Faire l'amour à une fille… Mais plus que tout, j'aimerais savoir qui je suis. Sinon, qui suis-je, à part celui qu'ils ont décrété que je suis ?

Un Juif.

À Auschwitz il n'existe qu'une méthode pour identifier les Juifs.

Nous aligner dans le froid glacial, la pluie, ou la chaleur, par groupes de cinq.

Et nous additionner.

Est-ce que je compte, moi?

Non. Je suis un chiffre, un corps. Un maillon dans une chaîne.

7 juin 1944 – Peter a un regain d'espoir

Le soleil a disparu. Le vent et la pluie se sont déchaînés toute la nuit en hurlant autour du bâtiment. Je n'ai pas fermé l'œil.

Dehors, les nouvelles sont épouvantables. Les privations sont pires que jamais. Il n'y a plus rien à manger. Plus de monnaie. Les gens crèvent de faim. Comment allons-nous survivre ? Allons-nous survivre ? Nous n'avons aucun moyen de savoir.

En même temps, d'excellentes nouvelles circulent. Le débarquement a commencé, Churchill a annoncé qu'on entrevoyait enfin l'issue. Nous avons peur d'avoir trop d'espoir. Papa et maman ont préféré réagir en s'en tenant à un : « *Ach !* Je parie que c'est une mise à l'épreuve, sûrement pas la vraie Libération. » Ceci dit, ils ont du mal à cacher leur émotion, comme l'odeur du pipi de Muschi dans le grenier. On ne le voit pas mais on le sent !

Le parfum de l'espoir.

11 juin 1944 –
La veille de l'anniversaire d'Anne

Je voudrais offrir un vrai beau cadeau à Anne pour son anniversaire. Je veux qu'elle sache que nous serons toujours amis, en dépit de nos différences.

Il faut que nous arrivions à restaurer une simple amitié entre nous. Je me souviens de l'époque où je la caressais, je la désirais, mais cela me semble déjà étrange – comme une violation. Il arrive qu'on ne sache pas jusqu'au jour où on essaie.

Était-ce mal ?

Était-ce bien ?

En tout cas c'était tout ce que nous avions.

J'ai demandé à Miep de lui acheter des fleurs. Elle est une telle source d'espoir pour nous, Miep. Caen vient de tomber du côté des Britanniques. Toute l'Annexe respire la joie.

Finalement, je lui ai demandé d'essayer de trouver des pivoines. Si possible roses, jeunes, pas trop ouvertes – pour qu'elles soient épanouies, splendides, le jour venu. Elle m'a regardé d'un drôle d'air, puis elle a hoché la tête avec un sourire. Elle m'a rapporté un bouquet parfait. Je l'ai posé sur mon bureau et j'ai admiré les fleurs toute la soirée. Je les ai même dessinées. Du moins j'ai essayé, mais j'ai eu du mal à saisir leur essence, et ce parfum si frais, vert, vivace qu'elles dégagent. Je les voyais dans mon sommeil. Brillant dans le noir. Toujours là quand j'ai rouvert les yeux. J'ai hâte de les offrir à Anne.

Elle allait avoir quinze ans. Elle était intelligente, arrogante, drôle, toute mince, et çà et là, quand elle souriait, si belle. Belle comme le monde du dehors. Je ne sais pas si elle a seize ans aujourd'hui ni si elle les aura jamais.

12 juin 1944 – L'anniversaire d'Anne

– Merci, Peter, elles sont ravissantes, murmure Anne en regardant les pivoines.

Je ne dis rien. Avant, j'aurais sans doute cherché à lui expliquer le choix des pivoines. Avec un certain regret. J'aurais voulu qu'elles soient parfaites, mais aujourd'hui, si elle ne les aime pas, tant pis, je n'y peux rien.

– Je les ai admirées toute la soirée, dis-je simplement.

Elle n'a pas le moral. Je connais ça. Fêter son anniversaire dans l'Annexe. Ça a un goût de mort. On pense au passé, et pire, à tout ce qui risque d'arriver. Non, les anniversaires sont rarement l'occasion de nous réjouir, même aujourd'hui, alors qu'on annonce le débarquement.

En plus, il fait un temps de chien. Épouvantable.

Anne est en train de tripoter le petit bracelet en or que lui a offert sa sœur et toutes deux jouent à se rappeler le bon vieux temps.

– Tu te souviens quand on s'asseyait sur le toit de notre maison de la Merwedeplein ?

– Tu te souviens au lycée juif, le jour où ce couple est venu se marier ?

Nous nous remémorons tous le passé, comme lorsqu'on a confiance en l'avenir.

La Libération : nous ne parlons plus que de ça.

– Tu te souviens quand on remontait à pied le Zuider-Amstellaan pour aller au centre-ville ? demande papa.

– Je me souviens quand j'accompagnais les enfants à l'école ! s'exclame Mme Frank.

– Et rentrer à pied du bureau ! ajoute M. Frank.

– En courant ! s'écrie Anne.

Margot sourit. Je me demande ce qu'elle pense.

Toute la journée, j'ai eu la nostalgie de l'époque où je pouvais marcher librement, sans destination précise. Je souris. C'est plus fort que moi. Il y a de l'espoir dans l'air. Ça me fait peur.

Le soleil a recommencé à briller.

– Pourquoi est-ce que les Britanniques sont aussi lents? enrage maman.

Elle est tellement tendue que si elle se lâchait, elle s'envolerait directement vers la lune.

– Je te rappelle que c'est pour nous qu'ils se battent! dis-je.

Oui, c'est un miracle de savoir que des gens venus du monde entier se battent pour nous. Qu'ils se battent pour permettre les différences entre nous. Qu'ils vivent pour nous. Qu'ils meurent pour nous. Sans avoir la moindre idée de notre présence ici. Les verrons-nous un jour, ces soldats anglais et américains? Comment ça va se passer exactement? Faut-il s'attendre à ce qu'ils débarquent dans les rues en brandissant des drapeaux? À ce qu'ils hurlent : «Sortez, sortez, bonnes gens, où que vous soyez!» Dévalerons-nous les escaliers en nous défoulant le plus bruyamment possible (comme Anne quand il y a un raid aérien)? Nous prendrons-nous la main sous le soleil, la pluie ou le vent? Remonterons-nous Prinsengracht jusqu'au centre-ville en respirant à pleins poumons l'air autour de nous, sur nous?

J'arrête. J'arrête parce que c'est trop douloureux – espérer.

Alors, à quoi ressembla-t-elle, la Libération, le jour où elle a fini par arriver ? Autrefois, je l'imaginais sous la forme d'un immense tumulte, joyeux, rythmé par le bruit de nos pas dégringolant les escaliers. La caresse de l'air sur notre visage et le carillon des cloches de la ville. Le fameux carillon dont nous parlait Margot. J'imaginais les feuilles dansant au-dessus de nous, tels des confettis, tandis que nous levions les bras, nous nous roulions par terre, nous sautions dans le canal. Nous courions, nous nous embrassions, nous dévalions les rues, les allées. Hurlions à tue-tête.

Est-ce ainsi que la Libération s'est déroulée ?

Je ne sais pas.

Nous n'y étions pas.

L'Annexe était vide et nous avions disparu.

4 août 1944 – Peter est dans sa chambre avec M. Frank. Les huit personnes de l'Annexe ont été dénoncées

C'est arrivé, mais j'étais à l'intérieur et je ne l'ai pas vu venir.

Il faisait chaud, il n'y avait pas un brin d'air et nous rêvions d'ouvrir les fenêtres. Tout le monde travaillait. Enfin le monde retrouvait du sens. Les murs se refermaient, mais cette fois-ci sur eux, pas sur nous.

Les portes de l'entrepôt du 263 Prinsengracht étaient grandes ouvertes sur la rue. Mais je ne le savais pas. Nous étions impatients que le dénouement arrive. Les Alliés l'emportaient. Nous étions parfaitement au courant. L'espoir renaissait en nous, tel un battement de cœur, une pulsation, un souvenir revenant à la vie. D'un jour à l'autre, nous allions être libérés. J'avais recommencé à dessiner les rues. La route jusqu'à la maison, de Prinsengracht jusqu'à la Merwedeplein. C'était en automne, parce qu'il ne fallait pas trop en demander, ne pas être trop optimiste.

J'avais dessiné une pluie de feuilles rouge et or, comme un jour de fête. Nous étions si près du but, si près que nous étions imprégnés de l'idée de liberté comme de la chaleur de ces pièces dont les fenêtres étaient condamnées.

Dehors.

Un véhicule militaire s'est arrêté devant le bâtiment. Un officier en est descendu. Il s'est dirigé vers la porte de l'entrepôt, guidé par un ouvrier qui lui a indiqué l'escalier où... j'étais dans ma chambre avec M. Frank.

– Tu as compris la construction de la phrase, Peter ? En anglais, on utilise le pronom *it*.

J'ai essuyé la transpiration sur mon front en réfléchissant.

Tout ce que nous redoutions depuis le début était sur le

point d'arriver. Il ne faisait pas nuit, loin de ce que j'imaginais dans mes pires cauchemars. Au contraire, c'était en plein jour. Une journée superbe. Le soleil brillait. Les oiseaux gazouillaient dans le marronnier. Anne était en train d'écrire en bas. Margot était plongée dans un manuel de médecine ; elle avait décidé d'être docteur. Elle me l'avait confié deux jours plus tôt au grenier, ses yeux brillant derrière ses épaisses lunettes.

— Tu seras un médecin formidable, lui avais-je répondu.

Le docteur Pfeffer était dans sa chambre en train d'écrire une lettre à sa chère Charlotte – une de ses lettres pleines de projets d'avenir. Papa et maman étaient dans la cuisine, assis sur le canapé en train d'agiter un éventail imaginaire. Je les entendais discuter à mi-voix. L'atmosphère était apaisée. Personne ne se doutait de rien.

Au début, j'ai cru que c'était Anne qui montait l'escalier, d'un pas un peu lourd et bruyant. Ensuite, j'ai entendu du bruit dans la pièce voisine, et je crois que quelqu'un a crié : « Mains en l'air ! »

Un cri étouffé de maman a suivi, puis la voix de papa essayant de la calmer. M. Frank et moi nous étions levés quand soudain ils ont surgi. Un homme, hollandais, dans un uniforme vert. Revolver en main. Avec deux autres, derrière. Sans frapper. Là, face à moi, debout dans l'encadrement de ma porte. M. Frank m'a jeté un coup d'œil rapide. Nous avions compris. Tous deux. C'était fini. L'image de l'espoir s'est déchirée en moi.

— Les mains en l'air !

— Débarrasse tes livres, Peter.

Nulle part où nous échapper. Trois autres hommes ont déboulé, tous étaient de la police hollandaise. Ils nous ont fouillés alors que nous avions les mains levées. Nous n'avions aucune arme sur nous. Ils nous ont poussés dans la pièce voisine. Maman était debout à côté de papa dans la cuisine, les bras en l'air eux aussi.

– Ma famille ! s'est exclamé M. Frank.

Papa et maman nous fixaient d'un air hébété. Sans un mot. Ils nous ont forcés à descendre. La bibliothèque pivotante était grande ouverte, béante. Ce fut un choc. Plus moyen de se cacher.

Anne était blottie contre Margot, en larmes. Sanglotant calmement, silencieusement. C'est la première fois que je la voyais pleurer. Anne avait le pied enroulé autour de sa cheville pour essayer de la réconforter. Respirant bruyamment en dévisageant les hommes. Mme Frank se tenait de l'autre côté de Margot. Les mains levées, elle aussi. Un homme pointait son revolver sur elles.

– Vous ! hurla-t-il à M. Frank. Où sont cachés l'argent et les bijoux ?

M. Frank a indiqué du doigt un tiroir sur lequel un homme s'est précipité. À ce moment-là, un autre est entré, revenant de la chambre des Frank, avec le cartable d'Anne qu'il a vidé sous nos yeux. Tous ses papiers et son journal se sont éparpillés. J'ai cru qu'elle allait s'étouffer et j'ai failli la prendre dans mes bras. M. Frank a frémi.

– Pas un geste ! a crié l'homme avant de fourrer l'argent (pas grand-chose) et les bijoux (pas grand-chose non plus) dans le cartable.

Mon cœur battait à tout rompre. Je ne sais pas comment M. Frank parvenait à rester aussi calme. J'ai pensé à ce qu'avait dit maman un jour : « Plus la Libération approche, plus on a de chances d'être dénoncés. Ils nous fusilleront. Tu ne crois pas ? »

Si seulement c'était arrivé. J'aurais préféré mourir à ce moment-là, avec maman à côté de moi, mais c'eût été trop facile. En finir

alors que mon corps et mon esprit m'appartenaient encore. Alors
que mon espoir venait à peine de mourir, prêt à renaître.

Ils ont fouillé l'Annexe de fond en comble. Ouvert tous les placards et les tiroirs. Nous transpirions à grosses gouttes. C'est douloureux de garder les mains levées si longtemps. Nous échangions des regards qui en disaient long. Tétanisés. Une seule question sous-entendue : « Et après ? »

– Emportez deux ou trois vêtements, a hurlé un des hommes. Vite ! On n'a pas de temps à perdre !

Chacun a baissé les bras, s'est précipité dans sa chambre, ne sachant choisir. Redescendant aussitôt. Anne était à genoux en train de rassembler ses papiers en une pile bien propre.

– Laisse tomber ! a aboyé un des hommes.

Elle s'est redressée. Ni rapidement ni lentement. Très digne, inclinant la tête comme s'il avait droit au même respect que n'importe qui. J'aurais voulu applaudir. J'étais tellement fier d'elle. J'espère qu'il n'a pas vu qu'elle tremblait.

Le temps semblait passer au ralenti, et à toute vitesse. Le policier qui devait être le chef était encore en train de fouiller la pièce.

– C'est à vous ? a-t-il demandé à M. Frank en donnant un coup de pied dans un coffre en bois.

– Oui. J'ai été lieutenant de réserve pendant la Grande Guerre, a-t-il répondu, égal à lui-même, la voix parfaitement calme, maîtrisée, telle une bouée à laquelle nous pouvions nous accrocher.

L'homme s'est redressé en jetant sur lui un nouveau regard.

– Ne les pressez pas trop ! a-t-il ordonné à l'autre policier. Vous auriez dû le préciser, a-t-il ajouté comme s'il était désolé. On aurait peut-être pu vous envoyer dans le camp de travail de Theresienstadt.

– Alors vous pourriez peut-être nous autoriser à ouvrir une

fenêtre, puisque tout le monde est là, a suggéré maman, courageuse.

Je ne sais pas si ça a marché. Je ne sais pas si son intervention, suivie par le « Non, pas de fenêtre » tranchant de l'homme, a évité à Anne et Margot de remarquer le sous-entendu. Car si nous n'étions pas envoyés dans un camp de travail, alors où ? Nous le savions trop bien. Dans un camp de la mort.

— Est-ce que nous pourrions ranger un peu, s'il vous plaît ? a demandé Anne et, voyant qu'il acquiesçait, elle s'est agenouillée à nouveau.

Je me suis accroupi à côté d'elle et je l'ai aidée à rassembler ses papiers et son journal.

— Ne t'inquiète pas, ai-je murmuré à son oreille. Miep rassemblera tous tes papiers et les mettra de côté. Évite d'attirer leur attention dessus.

— Je ne peux pas abandonner Kitty ! Mon journal !

— Si, c'est la seule solution ! Tu le sais bien, il a plus de chance d'être préservé si tu t'en sépares.

Elle avait les larmes aux yeux, mais elle a tenu bon. Nous avons caché le journal sous une pile de papiers bien nette.

Nous nous sommes redressés, main dans la main, transpirant, tremblant. L'attente fut un cauchemar. Nous étions assis. Muets. Incrédules. Tout en ayant parfaitement compris. On nous a autorisés à boire un peu d'eau.

— Bien, a annoncé maman à midi et demi, c'est l'heure de déjeuner.

Personne n'a bronché. Sa remarque était si triviale. Elle pleurait, des larmes muettes. Quant à moi, je luttais contre les larmes. Je sentais mon cœur battre violemment à cause de l'effort. Et celui de papa. Non, ils ne fusilleraient pas que nous deux. Ils nous tueraient tous, tous ensemble. À treize heures, la camionnette qu'ils attendaient est arrivée.

– Debout ! Vite !

Un des hommes a donné un coup de pied dans la pile de papiers, pulvérisés. M. Frank a serré Anne contre lui en murmurant quelques mots à l'oreille.

Nous sommes descendus. M. Kugler et M. Kleiman avaient été arrêtés eux aussi. Nous étions navrés.

Dehors.

Nous avons franchi la porte.

Nous étions dehors.

Le temps était resplendissant. Étincelant, et crue ; lumière pure succédant au noir total. Mes yeux me brûlaient. Nous échangions des regards curieux. Nous étions d'une telle pâleur. Tout le monde s'est arrêté face à la camionnette. J'ai tendu le visage vers le soleil pour le sentir sur ma peau. L'air était si chaud. Si doux, si merveilleux.

– Montez !

J'ai ouvert les yeux. Nous étions tous dans la même position, debout, le visage tourné vers le soleil. Une seconde, ou moins. Puis la fin.

– J'ai dit montez !

La camionnette était sans fenêtres. Il faisait chaud, sombre, et nous redoutions de plus en plus la destination vers laquelle ils nous emportaient.

DEUXIÈME PARTIE

Les camps

Mai 1945 – Peter : Mauthausen, infirmerie

Nous sommes arrivés, oui – ici, maintenant.

Je suis allongé sur une couchette à Mauthausen.

Il y a un mot que je ne veux pas oublier. Un mot qui entache tout ce qu'il effleure, un mot qui signifiera toujours plus qu'un lieu, qui sera toujours plus qu'un mot. Un mot sans espoir ni désir – Auschwitz.

Je crois que je suis vivant, mais je n'en suis pas sûr.

Comment pourrais-je le savoir ? Être vivant ou mort signifie la même chose pour un Juif à Auschwitz.

C'est là qu'ils nous ont d'abord envoyés.

À Auschwitz, nous avions des rêves qui se poursuivaient au réveil – et c'était un cauchemar.

Je suis en train de mourir. J'en suis certain.

Tous les gens qui sont passés par ici sont morts, même ceux qui marchent toujours.

À présent, c'est mon tour.

Comment pourrais-je en parler, trouver les mots ?

Et vous, m'écouterez-vous maintenant que le moment est venu ?

Continuerez-vous, comme je suis obligé, moi, à tourner les pages chaque jour – une par une – et à survivre ?

Car ceci n'est pas une histoire, ceci est la vérité. Tous ces événements ont eu lieu.

Tel est notre souhait le plus profond, que vous, dehors, le sachiez.

Que nous avons disparu petit à petit, la plupart d'entre nous. Nous sommes partis à pied dans la nuit des camps en longues colonnes, sans savoir où nous allions. Nous sommes partis en train, emportant tous nos biens comme l'espoir. Jadis, nous étions légion, à présent, nous ne sommes plus qu'une poignée.

À présent, nos corps nus gisent, entassés. Nos os ont été broyés en poussière et nous avons été réduits en… cendre.

Telle est la vérité.

Je suis désolé d'avoir à le demander une fois de plus, mais y a-t-il quelqu'un ?

Quelqu'un qui écoute ?

Quelqu'un parmi nous qui a survécu ?

Ou n'y a-t-il que moi qui respire ?

Suis-je le dernier – seul – au milieu de ces flots de cadavres putrides gisant autour de moi ?

J'ai envie de hurler pour savoir s'il y a quelqu'un agonisant et respirant comme moi. Mais j'ai peur qu'ils m'entendent, débarquent et me fusillent.

Il faut qu'il reste au moins un survivant.

– Survis, sois courageux, chuchote papa.

– Raconte notre histoire, murmure M. Frank.

Les cadavres autour de moi commencent à empester.

Ils étaient donc vrais, ces cauchemars qui nous hantaient. Tout le monde serait donc mort ? Il n'y aurait aucun Juif survivant à part moi ? Dehors, on n'entend ni cri, ni gardien, ni fanfare. Je ferme les yeux.

– Survis, sois courageux, chuchote papa.

Non, je n'ai plus le courage. Je suis épuisé.

– Raconte, raconte, raconte, raconte…, martèlent leurs voix contre mon corps.

Tant de voix, tant de corps, tant d'histoires avortées, jamais je ne pourrai les dire. Je ne suis pas la bonne personne. C'est Anne qui devrait être à ma place, Anne avec ses yeux brillants, debout dans l'encadrement de ma porte. Anne souriant. Anne riant. Anne pleurant. « J'ai tellement de choses à raconter, Peter, tellement d'histoires en moi ! »

– Comment pourrais-je témoigner de ce que nous avons vécu ?

– Mets-le en mots, chuchote-t-elle à mon oreille, vas-y, commence.

– Les mots pour le dire existent-ils ?

– Qu'avons-nous d'autre ?

C'est pourquoi je commence.

Ils nous ont d'abord transportés à Westerbork, un camp de transit. Je me souviens d'Anne dont les yeux dansaient dans la clarté du dehors. Nous étions encore ensemble. Nous avions encore de l'espoir. Les Alliés se dirigeaient vers les Pays-Bas[1]. C'était une course contre le temps. Tous les mardis, les trains arrivaient et repartaient.

Où allaient-ils ?

Vers l'Est :

à Theresienstadt,

à Sobibor

à Bergen-Belsen

et à Auschwitz.

Nous étions un immense fleuve marchant, gisant, trimant – un immense fleuve mourant.

– Oh, Anne ! Où trouver les mots pour le dire ?

– En toi. Cherche-les – commence.

Ils nous ont balancés dans un train.

J'étais dans un train et j'ignorais où j'allais.

Auschwitz, Auschwitz… Dans mon souvenir, les roues martèlent le nom de notre destination, le murmurent, me torturent.

---

1. En fait, les forces alliées se sont dirigées directement vers Berlin, sans passer par les Pays-Bas.

Auschwitz, Auschwitz, Auschwitz. Mais ma mémoire me trompe.
Nous ne savions pas où nous allions.

Nous avions tout emporté, les quelques affaires qu'il nous restait. Les portes se sont refermées. La lumière s'est évanouie, seul un fin rai filtrait, tel un fragment de souvenir, en haut du compartiment, très haut.

Nous nous entendions respirer dans l'obscurité. Puis ce fut le silence et un bruit résonna, de la craie crissant sur la paroi du wagon. Ils inscrivaient quelque chose – le nombre que nous étions à l'intérieur.

– Quand est-ce qu'ils vont nous lâcher? s'est écrié quelqu'un.

Des rires ont suivi. C'était en plein après-midi. Il y eut des sifflets, des coups contre la porte. Les gardiens ont hurlé et le train a commencé à s'ébranler. Nous avons basculé de côté avant de nous redresser. Je m'accrochais à Anne. Le souvenir de son corps blotti contre le mien dans le grenier était vif et aigu en moi.

Les roues claquaient régulièrement. J'ai senti mes yeux se fermer, ma tête dodeliner. Secousse, réveil. La lumière avait entièrement disparu, il faisait nuit. Au-delà de la chaleur de nos corps, il faisait froid – et le train poursuivait son voyage.

Quelqu'un a grommelé. Nous pensions tous la même chose. Quand va-t-on s'arrêter? Quand pourrons-nous nous soulager? Soulager notre vessie, nos yeux, nos corps – toujours debout? On n'entendait pas un bruit, seule l'odeur âpre et chaude de la pisse fraîche qui se dégageait, un grognement de soulagement. Encore et encore, jusqu'à ce que la puanteur nous recouvre entièrement, tel un épais manteau.

– Pardon. Pardon, vraiment, je suis navré.

Impossible de s'allonger sur le sol désormais.

Tous s'étaient levés en espérant que bientôt nous nous arrêterions. De temps en temps, le train ralentissait, nos têtes assoupies se redressaient, intriguées, mais le train reprenait de la vitesse. Nous étions appuyés contre les parois, les uns contre les autres. Oscillant au rythme des roues. Accrochés au voisin, à notre vessie. Bientôt. Nous espérions arriver bientôt.

Nous ne savions pas ce que nous espérions.

Le soleil s'est levé. Le train poursuivait sa route. Les gens avaient renoncé, gisaient dans la pisse, entassés les uns sur les autres.

Maman a déposé son manteau par terre. Nous avions de la chance. Nous avions un petit carré sur lequel chacun pouvait s'asseoir tour à tour. Nous faisions pipi en regardant vers l'extérieur. Nous n'avions pas encore eu besoin de plus.

Je somnolais tout en entendant le claquement des roues. Soudain je me suis réveillé. Cette fois-ci, ce n'était pas un rêve. Le train a ralenti jusqu'à l'arrêt.

– Où ? Où sommes-nous ? s'est écrié quelqu'un.

Un homme très grand observait le quai à travers une fente sur le côté du wagon. Il a prononcé des noms polonais. Des grognements ont retenti. Silence. L'odeur de la peur – et soudain l'odeur de la merde.

– Ça doit être comme à Westerbork, supportable, a murmuré Anne.

Personne n'a répondu. Nous savions que ce ne serait jamais comme à Westerbork, puisque c'était un camp de transit. Anne s'est mise à trembler.

– Je n'arrive pas à la réveiller ! Je n'arrive plus à la réveiller, a gémi quelqu'un.

– Tant mieux pour elle, a répondu une voix.

– Ouvrez ! hurlaient certains en frappant contre la porte.

– Surtout, restons ensemble, a chuchoté M. Frank. Quoi qu'il arrive, nous devons absolument rester ensemble. N'oubliez pas. Ils sont en train de perdre. La fin est proche. Quelle que soit notre destination finale, il faut que les autres sachent. Nous saurons la vérité. Nous pourrons leur redonner de l'espoir.

Il avait raison. Idiots que nous étions. Nous avons lâché pour rien.

Quelque part dans le wagon à bestiaux, une voix s'est mise à réciter le Kaddish, la prière pour les morts. Le train s'est ébranlé.

Troisième jour. De plus en plus de gens chiaient. La puanteur était telle que d'autres vomissaient.

Nous, les hommes, nous tenions debout les uns contre les autres, dos à la foule. Plaqués contre les parois mouvantes. Essayant de marquer notre territoire.

J'ai senti les cheveux d'Anne m'effleurer le menton.

– Je meurs de soif, Peter !

– Oui.

Il était de plus en plus difficile de tenir debout. À un moment, le train s'est arrêté.

Pendant des heures.

– De l'eau ! suppliaient des voix. De l'eau !

Personne ne répondait. Pas une goutte. Seule la chaleur. L'impression de dessèchement. Le silence. Dehors, une voix en appela une autre sur le quai.

– Répondez ! cria l'homme devant la fente. Répondez-nous, bande de salauds !

Nous attendons. Pas de réponse.

– Nous sommes des personnes, des êtres humains, chuchotait Anne.

Pas de réponse, comme si nous étions du bétail, meuglant, gémissant dans une langue inhumaine et incompréhensible.

Le train est reparti. Claquement des roues.

Nouvel arrêt. Il faisait sombre. Nous avions connu tant d'arrêts que nous étions habitués. Ça pouvait durer indéfiniment. Jusqu'à ce que nous mourions. Certains étaient déjà morts.

Nous étions perdus, perdus dans un temps sans repères. Éveillés et en même temps assoupis. Vivants et déjà morts, jusqu'au moment où le train a marqué l'arrêt final, et les portes se sont ouvertes.

Y a-t-il des mots pour ça, simplement ça, Anne ?

— Oui, même pour ça. Tu dois y retourner, Peter, afin de les trouver.

Après la pénombre des wagons la lumière fut un choc.

— *Raus ! Raus ! Schnell ! Schnell ! Schnell !* hurlaient des voix.

Un courant d'air s'est engouffré dans le wagon, renforçant la puanteur. La honte. Nous empestions. Nous nous recroquevillions comme pour nous cacher. Les gens tombaient, sautaient, rampaient du wagon sur le quai.

Il ne restait plus que nous. Nous, huit, debout dans l'encadrement de la porte, les yeux écarquillés.

Face à nous se tenaient des hommes en uniforme rayé. Des Juifs, comme nous. Mais différents. Rasés. Tels des morts vivants, ils nous hurlaient dessus dans l'obscurité éclairée par les faisceaux de torches.

Aveuglantes.

— Dehors ! Dégagez ! gueulaient-ils, tandis qu'aboyaient les chiens.

Anne a reculé.

— Les femmes et les enfants à gauche !

Anne s'est déplacée vers la gauche. Je l'ai retenue. Nous étions toujours dans le wagon.

– Les hommes à droite. Les femmes, par ici !

– À gauche ! À droite !

Nous avions les mains levées et nous observions. Quand soudain, j'ai compris. Les mots avaient un sens, c'était des mots allemands.

Un vieil homme se tenait sur le quai, immobile, scrutant les alentours. Incrédule. Éperdu, relevant ses lunettes sur son nez.

– Compris ? l'a houspillé un gardien en le giflant en pleine figure.

Nous n'en croyions pas nos yeux, comme s'ils n'étaient pas assez grands, ni notre cœur, comme s'il n'était pas assez vaste, pour intégrer, comprendre.

– J'ai dit à gauche, crétin !

Le vieil homme a secoué la tête, les yeux injectés de sang, il ne voyait plus rien. Il a levé une main impuissante. Le gardien l'a roué de coups avant de piétiner son corps tombé à terre. Le docteur Pfeffer a fait un pas en avant. M. Frank l'a retenu. Le gardien est passé au suivant, peut-être le fils du vieil homme, je ne sais pas. Tout s'est passé si vite, si calmement, que je ne suis pas sûr d'avoir bien vu. Le jeune homme ne disait pas un mot quand, soudain, il a frappé le gardien avec une telle violence que sa tête a basculé en arrière et un craquement a retenti. Le gardien a chancelé, le type était debout, les poings serrés, prêt à frapper encore. Soudain, le gardien s'est redressé et a tiré. Le vieil homme gisant au sol gémissait. Fusillé lui aussi.

Les spectres rayés et rasés se sont penchés pour fouiller les poches des deux morts. Pourquoi leur ouvraient-ils aussi la bouche pour y fourrager ? Après le silence et la

puanteur du wagon, les sommations hurlées étaient assour-
dissantes.

*Dans ma mémoire tout est silencieux. Flashes, faisceaux aveu-
glants. Fragments d'images, tels des coups de fusil. Souvenirs de
mots dépourvus de sens. Chaos d'une langue que je reconnais – mais
ne comprends pas encore complètement.*

– Vous !
C'est nous que le gardien interpellait. Nous sommes descendus sur le quai.
– À gauche, à gauche, à gauche.
Nous, les hommes, avancions, déterminés à protéger les
autres. Je serrais la main de maman.
– Non ! Les femmes de ce côté ! À droite ! J'ai dit à droite !
Regards interloqués. Choqués. Terrifiés. Nous étions trop
épuisés et trop assoiffés pour penser. Comprendre. Nous
venions d'être témoins qu'ils nous tueraient si nous n'obéissions pas – sur-le-champ. Un dernier regard avant de nous
lâcher la main, tels des enfants disciplinés.

*Un instant à peine – une fraction de temps qui nous hantera à
jamais. Comment avons-nous pu nous lâcher aussi facilement ?*

– Peter !
– Maman !
– Peter !
– Anne !
Nous nous sommes retenus avec nos yeux jusqu'au
moment où elles ont disparu – dans la nuit.

*Sont-elles en vie ? Mortes ? Ont-elles vécu le même cauchemar ?
Je ne sais pas. Elles ont été emportées loin de nous. Il a suffi que*

nous levions les yeux pour qu'elles s'évanouissent. Si vite que nous n'avons rien vu.

– Par ici ! Par ici !

On nous traînait de force. Sans doute pouvait-on sentir que nous arrivions à un kilomètre à la ronde.

Jusqu'à ces portes noires, immenses.

ARBEIT MACHT FREI

Le travail rend libre.

Une rumeur circulait disant qu'on pendait un Juif mort sur la barre noire, un nouveau Juif tous les jours. Nous le croyions. Nous le croyions parce qu'à ce moment-là c'était possible. Nous n'avons pas osé le moindre commentaire, nous marmonnions et poursuivions, un pied devant l'autre.

Ils nous ont parqués dans une salle. Nous échangions des regards hallucinés. Que se passait-il ? Quelque chose, mais quoi ? Les lumières étaient crues. Les gens murmuraient :

– Et maintenant, qu'est-ce qui nous attend ?

Quelque part, un homme priait en gémissant.

– À quoi bon ? ai-je grommelé.

– Ça lui permet de tenir, Peter !

La voix de M. Frank était douce. Inchangée. Je l'ai bouclée.

Nous empestions. Telles des bêtes. Nous avions le visage boursouflé, méconnaissable, à cause du manque d'eau.

– Déshabillez-vous complètement. Laissez tout par terre. Vous retrouverez vos affaires plus tard ! a hurlé un homme.

J'ai jeté un œil autour de moi. Nous étions tous pareils : perdus, tétanisés, terrorisés. Anéantis par la faim, la soif, la séparation.

À la fin, on ne différenciait plus les hommes et les femmes. Nous n'étions plus que des os. Des sacs d'os. Comme moi.

– Je vous en supplie ! De l'eau ! Nous mourons de soif ! a imploré un homme.

– Plus tard, a répondu l'Allemand, placide.

Lentement, nous nous sommes déshabillés. Essayant de ne pas nous regarder. Un vieil homme a tendu ses lunettes en demandant :

– Ça aussi ?

– J'ai dit complètement.

Il s'adressait à nous comme si nous étions malades, souffrants. Des enfants. Sur un ton neutre. Pourquoi se comportait-il comme si c'était normal ? Que faisions-nous ici ? Là, debout face à lui, désespérés, frigorifiés, assoiffés, affamés, persuadés que si nous obéissions nous survivrions.

– Enlevez tout, a-t-il répété.

– Mais mon père ne voit rien s'il n'a pas ses lunettes !

– Dans ce cas-là, il ne sert plus à grand-chose, tu ne penses pas ?

Les hommes en uniforme rayé sont entrés. Fouillant nos vêtements, triant, classant. Ça m'a rappelé les corbeaux dans le marronnier.

Nous nous couvrions avec les mains par pudeur. Le regard baissé. Honteux. Je n'avais jamais vu mon père ni M. Frank ni le docteur Pfeffer nus.

Ils nous ont emmenés dans d'immenses douches. L'eau était chaude. Nous n'en revenions pas. Surpris de pouvoir nous laver de la peur, de l'odeur, de la terreur du voyage. L'espoir renaissait en nous.

– Pourquoi se donnent-ils tant de mal si c'est pour nous exécuter ? a fait remarquer le docteur Pfeffer.

– Qui sont ces Juifs en uniforme rayé ? a chuchoté une voix.

Personne n'a répondu.

On nous a rasés. Des hommes qui avaient un triangle vert nous ont rasés.

Triangle vert, ça voulait dire criminel. Ils donnaient un rasoir aux criminels afin qu'ils nous tondent.

Nous étions debout les uns derrière les autres. Les yeux écarquillés. Ils nous ont rasés. Tout. La tête. Les bras. Les parties génitales. Une même question nous hantait : et les femmes ? Elles aussi ? Nous avions mal. Des hommes pleuraient en silence.

Soit ils s'habitueront. Soit ils mourront.
L'opération a lieu une fois par semaine, le samedi.

Je scrutais les hommes qui exécutaient la besogne. Qui était-ce ? Certains étaient-ils vraiment juifs ? L'idée m'obnubilait. Comment pouvaient-ils ? S'ils étaient juifs, à quoi fallait-il s'attendre ? Tout ça était-il réel ?

Étrange, quand je pense que j'ai essayé de trouver du sens à ce cauchemar, que nous avons tous essayé, comme si c'était possible.

Nous étions nus, tremblants. Pas de serviette pour se sécher. On avait enlevé nos vêtements et nos chaussures pour les remplacer par des piles de pyjamas. Rayés, comme ceux des hommes qui nous avaient déshabillés et tondus. Tout ce que nous redoutions. Pas de chaussures mais un énorme tas de godillots à semelle de bois.

– Rendez-moi mes lunettes, a imploré le vieil homme, je ne vois plus rien.

– Vos lunettes ont disparu, a répondu l'Allemand très calmement, agitant légèrement la main.

Un des hommes en uniforme rayé l'a giflé.

J'étais déjà habitué. J'ai simplement détourné le regard. Nous avons commencé à enfiler les uniformes rayés en essayant de repérer des godillots à notre taille.

– Tâche de trouver la taille parfaite, m'a murmuré papa.

– Les chaussures, ça peut faire la différence entre la vie et la mort, a renchéri le docteur Pfeffer.

Nous en avons pris une brassée avant de les essayer un par un, puis une autre, après en avoir mis un certain nombre de côté. Certains nous regardaient comme si nous étions fous.

Ceux-là sont morts très vite.

D'autres ont fait pareil.

Ils ont tenu plus longtemps.

Nous nous sommes relevés, tous les quatre. En nous déshabillant du regard. Avant de nous détourner, vite. Nous leur ressemblions, désormais. À ces Juifs en uniforme rayé, qui parlaient cette étrange langue râpeuse, ceux qui nous avaient battus, frappés, tués. À peine avons-nous fait un pas, nous avons eu du mal à soulever les pieds, obligés d'avancer en boitant de peur de perdre nos socques.

C'était fait.

Nous y étions.

AVANT   APRÈS

Un homme.   Un *Häftling*.

Nous avions du mal à croire à ce qu'il se passait. Tout en sachant qu'il se passait quelque chose.

Auschwitz.

On appelle ça un camp de la mort.

Ça n'était pas fini. Pas encore. Ils m'ont relevé la manche quand, tout à coup, j'ai senti une douleur aiguë me perforer l'avant-bras. J'ai regardé. J'ai vu un numéro : B-9286.

Désormais je n'étais plus Peter van Pels.

J'étais Stegi Stersi, B-9286

Regardez, si je tourne l'avant-bras, on le voit encore.

Nos vêtements, nos cheveux avaient disparu – et notre nom.

Nous n'étions plus que des numéros.

Des numéros sur le flanc d'un fourgon à bestiaux, des numéros bleus tatoués sur l'avant-bras.

Nous venions de traverser les portes d'un enfer humain. Auschwitz.

À présent, les souvenirs m'assaillent – denses, lourds comme les morts. Comment ai-je pu lâcher la main de maman aussi facilement ? Je ne comprenais pas ce qui arrivait. On n'avait pas le temps de penser.

– Petel !

Elle a hurlé mon nom et disparu. Toutes nos femmes ont disparu. Dans ces cheminées infernales. Je l'ai lâchée. À la fin, j'ai tout lâché.

Y compris moi-même.

Mais pas tout de suite.

Laissez-moi vous raconter.

Laissez-moi vous raconter.

Il y a quelqu'un ?

Quelqu'un qui écoute ?

Au cours de ces premiers instants, les secondes passaient comme des heures. Nous étions assis en uniforme, rasés, numérotés. Métamorphosés en Häftlinge, *abasourdis par le choc de cette déchirure dont nous n'avions pas compris, même si nous en avions l'intuition, qu'elle était définitive – séparés de nos femmes, de nous-mêmes, première séparation d'une série qui allait se poursuivre à mesure que nous serions battus, pendus, fusillés, poussés dans ces douches où l'eau était du gaz. Il y a tant de façons de quitter la vie.*

Ceux d'entre nous qui comprenaient vite, malgré le choc, avaient plus de chances de survivre. Mais même nous, qui parlions allemand, ne comprenions pas vraiment. Comment était-ce possible ? Comment ?

Et vous ?

Aujourd'hui encore, alors que j'en ai presque fini, je n'arrive pas à trouver un sens.

Les Allemands le peuvent-ils, eux ?

Pourquoi éprouvé-je une telle honte ?

Honteux parce que je me suis battu pour ma vie, et que j'ai regardé tant d'autres qui mouraient.

Honteux parce que je n'ai rien fait pour les sauver.

Voilà ce qui me hante tandis que j'agonise, attendant la mort. La structure des camps, l'ossature qui les soutenait est inscrite en moi, gravée dans une encre invisible, comme le tatouage bleu sur mon poignet.

À jamais.

– Comment pourrais-je raconter ça, Anne ?

– Tu dois mettre un mot devant l'autre et avancer, comme nous avons avancé à travers cette épreuve, Peter, sans penser au lendemain.

– Mais personne n'est là pour m'entendre.

– Alors écris sur du vent, ils ne pourront jamais brûler les idées.

– Oui. Je marcherai vers toi avec mes souvenirs.

J'ai peur.

Je suis seul.

Je suis le dernier Juif.

Le gardien a hurlé :

– En rang par cinq ! J'ai dit par cinq ! Vous êtes stupides ou quoi ?

M. Frank a rassemblé tout le monde en traduisant en hollandais, en anglais, en français, dans toutes les langues possibles.

– Professeur, je parie. Pas le genre à durer longtemps ! a ricané le gardien.

M. Frank n'a pas répondu, obéissant, rapide. Comprenant

sur-le-champ, concentré. Baissez la tête. C'était notre premier *Appell*, notre première leçon : apprendre à être un *Häftling*.

– En rang par cinq, à deux mètres d'intervalle !

M. Frank traduisait et nous l'écoutions, nous l'observions, nous l'imitions. Redoutant déjà d'être le prochain à être roué de coups, à s'écrouler, et qui sait, à être fusillé.

À l'époque, Anne et moi, nous nous moquions de son mauvais hollandais. Mais ici, le hollandais est inutile. Seul l'allemand pouvait nous sauver – si tant est que nous puissions être sauvés.

– C'est vraiment de l'allemand ? ai-je murmuré.

J'avais beau reconnaître les mots, la langue que j'entendais n'avait rien à voir avec l'allemand que nous parlions.

– Un certain allemand, m'a-t-il répondu, parfaitement calme.

Je le revois, debout face à nous, plus grand que l'uniforme qu'ils nous imposaient. Il incarnait l'unique mot que l'on saisit dans une langue étrangère. Le mot auquel vous vous accrochez comme s'il suffisait à expliquer la phrase entière.

« Aidez-moi, pensais-je. Aidez-moi. »

Parce que même sous le faisceau de leurs torches, réduit à l'état de Häftling, *j'avais encore le goût de la liberté sur la peau. La conviction qu'existait la possibilité de comprendre ce que nous vivions. La foi de l'enfant qui pense que quelque part, ailleurs, le monde a toujours un sens.*

M. Frank traduisait la brutalité de cet allemand brisé en phrases limpides et nous lui obéissions. En rangs par cinq. À deux mètres d'intervalle. Il n'en revenait pas de nous voir obtempérer ainsi.

Nous ne savions pas que tous les soirs, tous les jours, nous aurions à nous exécuter de la même façon.

Nous placer à un bras de distance du voisin, les uns derrière les autres, par cinq, pour qu'ils puissent nous compter sans difficulté.

Sous la neige et sous la pluie. Dans le brouillard et dans la brume. Sous le soleil et dans la poussière. Sous la grêle.

Un parmi cinq, un parmi dix, un parmi cent, un millier, un million. Combien sommes-nous à avoir été comptés et combien de fois ?

Je n'en ai aucune idée.

J'ai traversé les portes du camp en trébuchant sur mes pieds en sang et couverts d'ampoules, en rang. Par cinq.

J'ai passé des heures, la tête baissée pour me protéger du froid et des bourrasques de neige, parce qu'il y avait un trou dans le rang, ou parce que ainsi en avait décidé le gardien. Je ne me demandais pas pourquoi, je tenais bon, j'attendais et je résistais.

Des heures.

Certains s'écroulaient à mes pieds. Soit on les envoyait au K-B[1], soit on les fusillait sur place. J'ai appris à rester debout.

Un jour, nous étions en rangs, obligés de regarder un pendu. Il faisait froid. Tous avaient la tête baissée, priant pour que le cauchemar cesse.

– Vite ! a chuchoté le Polonais à côté de moi. Il rêvait déjà de la pause brève et du bouillon insipide qui nous attendaient.

Son cri respirait la douleur de ses jambes et le froid de sa chemise.

« Nom de Dieu, dépêchez-vous et sortez-moi de ce froid de gueux, que je survive, que j'en finisse avec cette marche, cette journée, cette nuit, cet appel. »

Ils nous ont ordonné de relever la tête et de le regarder mourir.

---

1. L'infirmerie d'Auschwitz.

– *Haben Sie verstanden ?* C'est compris ?

Nous connaissions la réponse.

– *Jawohl !*

Ils ne nous ont jamais demandé ce que nous avions compris.

La honte. Voilà ce que nous avions compris.

Et leur haine.

– Camarades, je suis libre ! s'est exclamé le condamné quand ils lui ont passé la corde au cou – il a sauté avant qu'ils ne le poussent.

À Auschwitz, il n'y avait qu'une seule façon d'être libre.

Choisir sa façon de mourir.

Je regrette de ne pas être mort ainsi : vivant. Luttant. Debout devant un parterre de têtes levées me dévisageant à travers la grisaille glacée. On se souviendra de cet homme. Il comptera. Il ne sera pas comme nous, un de ces millions de rats gris rayés, mourant par paquets. Enfin, c'est ce que je pense aujourd'hui. Sur le moment, je ne demandais qu'à ce qu'on ne nous oblige plus à rester debout et à attendre. Je ne pensais plus qu'au froid, au besoin de bouger. À l'instant où la musique abominable qui retentissait quand nous passions l'entrée cesserait.

Et l'appel cesserait.

J'ai travaillé quelque temps au service postal, au chaud, triant leur courrier. J'avais droit à des rations supplémentaires de pain.

Pourquoi ai-je écopé de ce boulot ? Peut-être parce que j'avais une tête d'Allemand. Ou parce que je suis passé devant au bon moment.

Dans ce monde, le mot « pourquoi » n'a pas de sens.

Vous ne comprenez pas ? Il faut aussi vous battre ? Vous obliger à avaler votre soupe dans un bol debout ?

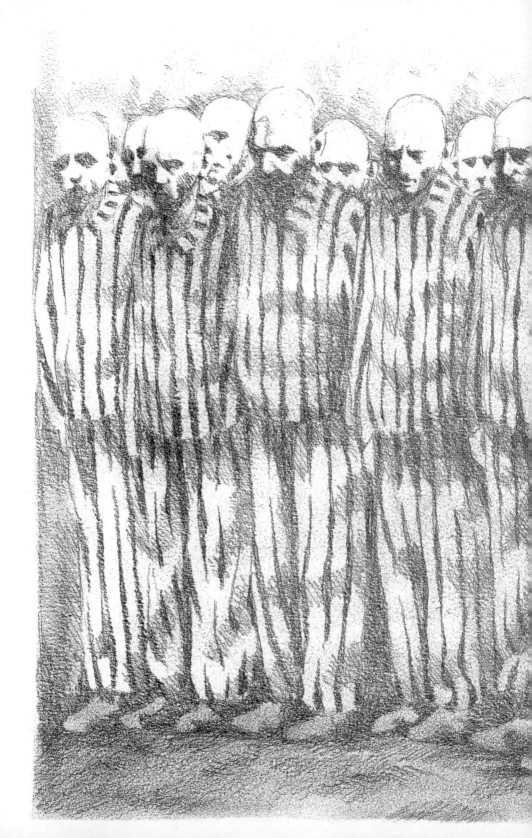

« *Vous puez comme des bêtes !* » *Voilà ce qu'ils nous lançaient.*

Oui, nous étions comme des bêtes. Nous bouffions vite et debout. Nous léchions nos auges et nous les raclions à la recherche d'un dernier morceau. Dès qu'il y avait de la nourriture, nous nous précipitions dessus en nous battant. Nous étions les bêtes de votre fardeau, de votre haine. Nous avions des besoins rudimentaires, animaux.

Nourriture.

Chaleur.

Sommeil.

Mais non, nous ne sommes pas des bêtes.

Les bêtes ne craignent pas la mort, ni l'anonymat, ni l'impossibilité d'une histoire pour le dire.

Je ne suis pas un animal, c'est clair ?

Même en remplaçant mon nom par un numéro, en me privant de cuillère pour manger, de vêtements, de chaussures. Non, je ne suis pas une bête.

Même si en ce moment j'attends.

J'attends que m'arrive l'ordre dans ce cauchemar qui se poursuit pendant mon sommeil, ma journée, mes rêves. Rompant la nuit terrifiante et glacée de l'aube en hiver et la lumière crue du matin en été. Le mot d'ordre qui me casse et contraint ce corps à se réveiller pour entamer une journée dont mon esprit ne comprendra jamais le sens.

Wstawać.

Debout.

Dès que je l'entends, quoi qu'il arrive, je fais l'effort de me redresser, de me lever et de me mettre en rang pour être compté. Il est vrillé en moi.

Wstawać.

Debout.

Je ne peux pas y échapper.

– Comment raconter ça ?

– Tu peux parce qu'il le faut, murmure Anne.

Mais comment est-il possible pour vous, dehors, de comprendre, même si les mots existent pour le dire ?

Partageons-nous le même langage ? Voici une assiette, dis-je.
Voilà un bol. Des mots faciles à prononcer. Hélas, d'autres sont
presque impossibles à prononcer. Là où votre monde s'achève et le
mien commence.
Pouvez-vous franchir cette ligne qui nous sépare ?
Pour saisir le sens d'un mot.

— *Dis-le, me chuchote Anne.*
— *Pourquoi ?*
— *Parce que ce sont les mots qui rendent l'homme libre, pas le*
travail.

Seleckcja.
Seleckcja.

C'est ainsi qu'ils appellent ça. Sans le savoir, nous avions déjà
entendu ce mot puisque nous avions survécu à la première sélection, celle qui avait eu lieu sur le quai de la gare. Nous étions les
numéros les plus élevés du camp parce que nous étions les nouveaux – les imbéciles, les maladroits, les dangereux.

Dangereux parce que nous ne connaissions pas encore les
règles et nous attirions l'attention sur nous à cause de notre
démarche gauche. Trébuchant à cause de nos socques et entraî-
nant les autres avec nous.

Haïs.

Seleckcja.

C'était en octobre. Le mot se chuchotait d'un baraquement
à l'autre dans Auschwitz, planant comme un faucon prêt à
fondre. Nous étions trop nombreux. Les numéros les plus petits
le sentaient venir, murmurant entre eux le mot – *seleckcja.*

Seleckcja.

Ils nous jetaient des regards venimeux. C'était à cause de
nous, les numéros les plus élevés, nous qui venions de

débarquer et d'augmenter le nombre total. Ils oubliaient que ce n'était pas nous qui les tuions, que ce n'était pas nous qui considérions qu'ils étaient des numéros et non pas des hommes.

Seleckcja.

J'ai jeté un œil sur papa.

– Oh! Au moins, on est à l'intérieur! m'a-t-il répondu.

Nous vivions sous des tentes mais le vent les avait emportées. Désormais, nous dormions sur le côté, quatre par couchette.

Non, nous ne dormions pas. On ne peut pas appeler ça dormir, il faudrait un autre terme pour définir cet état : les yeux fermés, l'esprit divaguant sans fin pour essayer de trouver du sens à l'impossible. Luttant contre les grognements, les genoux dans le dos, les grincements de dents d'un voisin mâchant une nourriture imaginaire, la descente dans l'enfer du rêve d'un autre. Soudain, une carotte, parfaite, fraîchement cueillie, frôle mes lèvres, j'en ai l'eau à la bouche, mes dents anticipent le plaisir de croquer quelque chose de solide, enfin... je m'éveille... mon rêve s'évanouit... ma bouche est vide, ma salive amère... je mets quelques secondes à reconnaître... le mot qui nous arrache à ce qui n'est pas le sommeil.

Debout.

Réveille-toi !

Le Blockältester gueule ; une nouvelle journée commence.

Un nouveau type de peur planait dans l'air. Non plus la peur quotidienne de vivre et de mourir, du froid, de nos pieds en sang avec lesquels il faudrait marcher, des coups de fouet...

La mort se rapprochait. Dangereusement.

Peu importe que l'on soit jeune ou vieux, malade ou en bonne santé, hollandais, grec ou allemand. Une seule chose compte, être juif – et chaque Juif est en trop.

– Nous sommes trop nombreux, m'a expliqué M. Frank. Ils sélectionnent ceux qui doivent mourir.

Il avait raison. Ça ne nous choquait plus. Ça s'expliquait, comme tout ce qui se passait.

– Nous sommes tous en train de mourir. Ça n'est qu'une question de temps, a ajouté papa en éclatant de rire.

M. Frank était plié en deux lui aussi, riant à tue-tête sous le regard éberlué des autres. Un rire énorme, choquant.

– Taisez-vous ! a hurlé le Blockältester.

Nous avons obéi.

Nous savions qu'elle était sur le point d'avoir lieu. La sélection. Mais comment ? Le docteur Pfeffer avait disparu. M. Frank avait interrogé les gens, mais personne ne lui avait répondu. Les types haussaient les épaules ou secouaient la tête.

– Disparu en fumée, avait lâché un des numéros les plus petits.

– D'une certaine façon je n'ai appris à le connaître qu'ici, avait murmuré M. Frank.

Ce soir-là, un nouvel homme s'était allongé sur la couchette du docteur Pfeffer.

– Regarde bien, m'a conseillé M. Frank. Quoi qu'il arrive, ne perds pas de vue les numéros les plus petits ; fais comme eux et tâche d'avoir l'air de savoir pourquoi.

Les rumeurs allaient bon train. Ils ne sélectionneront que les plus jeunes. Ou les plus vieux. Ça ne concerne pas notre section, ça sera une autre. Pour une fois, ça ne sera pas nous, les Juifs, mais les criminels.

Nulle échappatoire. Nulle part où s'enfuir si ce n'est contre les barbelés, mais c'était la solution réservée aux plus courageux, à ceux qui avaient compris qu'il n'y avait qu'une seule option : choisir non pas qui mourrait mais comment mourir.

C'est ainsi qu'ils choisissaient de mourir de la seule façon qu'il leur restait – contre les fils barbelés.

Vous comprenez ?
Vous pouvez comprendre ?
Ce n'était pas un geste de désespoir.
C'était un geste de vie.

Nous, les autres, nous répétions des paroles qui nous rassuraient. Non, ce ne sera pas notre tour, ce sera le tour d'un autre, ailleurs. Nous nous répétions ces mots pour étouffer la peur, adoucir la menace qui flottait au-dessus de nous comme de la cendre.

C'était ça ou les barbelés. Pas d'entre-deux. Pas d'alternative.

Seleckcja.

On nous douchait. On nous rasait. On nous préparait pour une nouvelle semaine. Mais ce jour-là, c'était différent. Ce jour-là, la cloche retentissait, signalant le retour dans les baraquements. Tout s'arrêtait. Les conversations, le troc de cuillères, de chaussures et de pain. Jusqu'au silence complet. Les négociants rangeaient leurs marchandises. Même ceux qui n'avaient rien vu avaient compris.

L'heure était venue. Nous allions être choisis, sélectionnés.

On m'a donné une fiche. Avec mon nom. Peter van Pels. Mon âge et ma date de naissance. Ça m'a rappelé qui j'étais. J'avais oublié.

Je l'ai mise de côté. Les numéros inférieurs n'y jetaient pas le moindre regard. Indifférents à la vue de leur identité gravée sous leurs yeux, le souvenir de la personne qu'ils étaient.

– Déshabillez-vous !

À ce moment-là, j'étais habitué à voir des corps nus. Toute honte bue. J'ai plié mes vêtements, je les ai posés sur ma couchette, avec mes godillots par-dessus.

– Ne t'inquiète pas, quand tu reviendras ils seront toujours là, m'a dit un des numéros inférieurs qui dormait en dessous.

Il avait raison. Personne ne prenait le risque de voler quoi que ce soit. Si quelqu'un avait du pain en rab, il était partagé, jamais négocié. On ne savait jamais qui reviendrait de la *seleckcja*.

Nous attendions dans les baraquements. Certains dormaient. D'autres priaient. La plupart regardaient dans le vide, au loin. L'esprit divaguant, essayant d'échapper à l'horreur. Je n'avais plus peur. Mon tour était venu et j'étais imperturbable.

Oui, c'est vrai. C'est vrai. Nulle émotion ne se prolonge éternellement, sinon comment tenir? Même la peur ne dure que jusqu'au moment où elle est soumise et asservie.
Nous étions silencieux.

Nous avions beau nous y attendre, ça arrivait comme un coup de semonce. Les cris, les hurlements, le tapage des Blockältester nous arrachaient au calme, au monde, quel qu'il soit, que nous avions construit en nous pour contenir l'abomination. Ils nous arrachaient à nos couchettes, nus, dehors dans l'air glacé... dans une salle où nous étions entassés, serrés... attendant... nous, les derniers numéros, ne sachant quoi exactement. Peu à peu, la pression se relâchait. Je me souviens des paroles de M. Frank. J'étais près de la porte. J'avais décidé de fixer des yeux un numéro inférieur. Peu importe si c'était un homme âgé. Je l'ai vu se rapprocher de la porte. Je l'ai vu tendre son buste et projeter sa poitrine maigre en avant. Je l'ai vu courir le plus vite possible en soulevant les genoux et en agitant les bras comme s'il pompait.

Puis ce fut mon tour.

Face à moi, à un mètre, une autre porte. À côté, des gardes et un officier SS. Je me suis redressé. J'ai levé les genoux. Bombé le torse et foncé. Pourvu qu'ils me sélectionnent pour vivre. J'ai remis ma fiche au SS.

Fini.

Nous sommes rentrés dans le baraquement. Nous nous sommes rhabillés. Tous s'agglutinaient autour des vieux, des faibles, des malades et des éclopés.

Sans la moindre compassion ni quiétude.

— Gauche ou droite ? Gauche ou droite ? Quel côté elle dit, ta fiche ?

— Gauche. Gauche. Gauche. Gauche !

— Tu as regardé ? m'a demandé papa. Tu as vu quel côté indiquait ta fiche ?

À présent j'avais compris : gauche, ça signifiait sélectionné.

J'ai secoué la tête. Je ne savais pas. J'avais honte. Je n'avais pas regardé assez attentivement.

— Et toi ? ai-je interrogé papa.

— Non ! m'a-t-il répondu en souriant.

La soupe est arrivée.

— Tu as vu ? Ils m'ont donné une ration double. Tiens, *Petel*, c'est pour toi.

Pourquoi ? Pourquoi lui avaient-ils donné une ration supplémentaire ? J'ai jeté un œil autour de moi. Il n'était pas le seul. Tous les *Musselmänner*[1] y avaient eu droit : les faibles, les vieux, les bons à rien. Tous, double ration, tous les hommes dont la fiche indiquait la gauche. J'ai regardé papa.

---

1. *Musselman* était un mot qui désignait les prisonniers les plus affamés et les plus épuisés à Auschwitz, parce qu'ils s'écroulaient à genoux, comme des musulmans en prière.

Il avait été sélectionné.

– Non ! Mange-la.

Il a refusé.

– S'il te plaît, Peter, sinon maman me tuerait. Imagine !

Je n'ai pas pu. Pourtant, je mourais de faim.

Non, je n'avais pas faim. Faim, c'est un mot que vous pouvez comprendre. Mais cette faim-là, elle ne me tiraille pas le ventre, elle me tiraille la peau – les os. Si vous me coupiez les deux jambes, elles avanceraient toutes seules jusqu'à un bol de soupe.

Le soir, je suis resté allongé sur ma couchette sans fermer l'œil. Je sentais les genoux de mon voisin dans le dos et cette haleine pestilentielle, que nous avions tous, en plein visage. Des voix hurlaient et gémissaient dans le noir. Maudissant, grommelant, vagissant, chuchotant de douleur, de langueur, de peur et de tous ces sentiments que nous étouffions, morts, pendant la journée, alors que nous luttions pour survivre. Tous ces sentiments qui affleuraient aux lèvres des hommes assoupis.

Je n'arrivais pas à dormir. J'écoutais.

Mes yeux étaient toujours grands ouverts quand l'aube s'est levée.

– *Wstawać!* a aboyé le Blockältester.

J'étais déjà debout.

Le lendemain, ce fut la routine. Appel. Répartition des tâches. On se lève. On trime. Il fait froid, un froid de Lager. Nous avons faim, une faim de Lager. Une seule chose a changé. Papa a encore eu droit à une ration supplémentaire de soupe.

– Ils m'engraissent pour… je ne sais quoi ! s'est-il exclamé en plaisantant.

J'ai caressé son bras. Il m'a effleuré le visage du bout des doigts. Il savait. Nous savions tous deux.

– Fais-moi plaisir, mange ta soupe, ça donne des forces.

C'est ce que maman nous disait en hiver quand elle servait du porridge qu'elle avait préparé. Ses paroles nous ont brûlés. Touchant cette partie enfouie en nous, qu'on nomme le passé, qu'il ne nous fallait surtout pas rappeler, qu'il nous fallait garder morte ou gelée si nous voulions survivre. Nous avons échangé un regard rapide et il a souri.

– *Petel*, s'il te plaît.

Doucement, il m'a donné son bol. Il était à peine chaud mais il m'a brûlé et j'ai eu du mal à boire la soupe.

– C'est bien, bois tout.

Il m'a regardé avaler chaque gorgée, sans se rendre compte que ses lèvres remuaient au rythme des miennes.

– C'est bien, c'est bien.

Je me suis appuyé contre lui et j'ai senti la chaleur de son corps contre le mien, sa présence. Puis je me suis redressé.

– On est tous obligés d'accomplir des gestes difficiles pour survivre, ai-je dit.

De nouveau, il a souri. Il a pris mon visage entre ses deux mains et m'a regardé dans les yeux. Une seconde.

– Sois courageux. Survis.

Il n'a plus rien avalé. Il m'a donné tout son pain et sa soupe.

Ils les ont emmenés le matin pendant le travail. Nous avions pu nous dire au revoir. Nous avions eu de la chance. M. Frank n'a pas pu en faire autant. Plus tard, dans l'après-midi, j'ai vu une charrette pleine de vêtements revenir et j'ai compris. M. Frank a posé sa main sur mon épaule. Sans un mot. Il n'y avait plus rien à dire[1].

---

1. Hermann van Pels, le père de Peter, a été gazé au cours des sélections d'Auschwitz en octobre 1944, alors qu'affluaient des Juifs destinés à être exterminés au moment où les Alliés commençaient à gagner l'Europe.

Vous avez compris ce que signifie le mot à présent?
Seleckcja.
À partir de ce jour-là, je n'étais plus Peter. J'étais Stegi Stersi,
B-9286. Häftling. Untermensch. *Une créature du Lager. Une*
créature prête à tout pour maintenir le morceau de vie que son père
avait nourri avec sa soupe.
Sois courageux. Survis.
C'est ce que j'ai fait.
Pour lui.
Quel qu'en soit le prix.

J'ai étouffé toute velléité de bonté. J'ai volé. Si nous avions besoin de pain supplémentaire, je me débrouillais pour en avoir. Tout était bon à prendre. Un clou branlant dans le plancher, un sac vide, une cuillère : j'allais près des latrines et je vendais tout.

J'ai appris quelques mots de grec : *klepsi-klep-i*[1]. Assez pour pouvoir acheter, vendre et troquer.

Survivre.

Voilà comment je procédais.

J'ai repéré le vieil homme qui dormait dans la paillasse sous la mienne. Je lui ai donné une semaine. Il sentait le *Musselman* à plein nez. Une semaine et il mourrait, et les gars se jetteraient sur sa bouche pour récupérer ses dents en or. Quel gâchis. Il fallait être rapide et avoir de la chance. Tout le monde avait vu l'éclat de l'or dans sa bouche. Tout le monde le flattait. Je me suis assis à côté de lui.

— Il y a plusieurs façons d'apprendre... à survivre, lui ai-je dit.

Il a hoché la tête.

— Et ma femme...

— Plus tard. Ne pensez pas à elle pour l'instant.

---

1. Terme d'argot qui signifie « vol », utilisé dans les camps.

Il avait ce regard. Ce regard que nous avions tous en débarquant. De souffrance et de confusion. Ce regard que nous haïssions, que nous voulions oublier. Qui avait fait de nous des êtres cruels et impitoyables.

– Et ma femme ? Où est ma femme ?

– T'es pas chez toi, s'est écrié le garçon de l'autre côté de la couchette.

– Oubliez-la, votre femme, ai-je ajouté. J'ai du pain pour vous, si vous voulez.

– Du pain ?

J'avais envie de lui taper dessus. Il était tellement lent. « Mon Dieu, il pense qu'on va lui *offrir* de quoi manger ! » pensai-je.

– Je vais vous aider, ai-je repris. Donnez-moi vos couronnes en or et j'irai vous chercher un bol, du pain et une cuillère. Vous en avez besoin pour survivre.

J'ai déjà dit qu'ils ne nous donnaient jamais de bols ni de cuillères ? Il fallait qu'on les achète avec du pain, de la soupe, tout ce qu'on trouvait, alors que le troc était interdit.

Il m'a dévisagé en secouant la tête. Si j'avais pu, je lui aurais arraché l'or de la bouche.

– Vous allez mourir sans une cuillère en rab !

– Et ma femme ?

– Puisque c'est comme ça, vous allez voir.

Ils l'ont remis au travail. Deux jours plus tard, il m'a offert sa dent. J'ai fait affaire avec un civil et j'ai récupéré vingt rations de pain. Vingt ! Étalées sur un mois entier. Je les ai partagées avec M. Frank et avec le *Musselman*. Ça n'a pas suffi. Il est mort dans la semaine.

Voilà comment j'ai survécu.

En vendant tout ce que je pouvais. Si le Blockältester se montrait un peu trop zélé, je faisais affaire avec lui. Du coup, j'avais de la soupe qui venait du fond de la marmite, avec des bouts de légumes – les bons jours.

Une fois, je suis tombé sur un morceau de saucisse. Je l'ai coincé dans ma bouche et gardé le temps de finir ma soupe pour lui donner du goût. Et le soir, je l'ai mâché. Avant de l'avaler. Un vrai bout de viande. C'était exceptionnel.

Pigé ? C'est comme ça que j'ai tenu. Pour certains, c'était un coup de pot. À vrai dire, non, pour tout le monde. Mais pour la plupart, c'est parce que nous avons appris à mentir, tricher, voler, guetter – et regarder les autres se faire rouer de coups jusqu'à en crever.

C'est comme ça qu'ils ont diffusé en nous leur haine.

Pourtant, nous continuions à rêver.

Rêver de raconter à quelqu'un, n'importe qui, vous, ce qu'il se passait.

Hélas, même nos rêves nous ont trompés.

Je rêve d'Anne. Nous sommes dans les branches du marronnier. Une brise me caresse le visage, soufflant comme le clapotis de l'eau à travers les feuilles. Le soleil brille.

Je suis heureux.

Anne m'observe de ses grands yeux bruns, la tête penchée comme un oiseau. Le bonheur flotte et monte en moi comme la sève.

Je lui confie tout. Naturellement.

Que je n'arrive pas à dormir ; à cause de la peur, de la faim, parce qu'ils nous battent, nous affament, et même le travail auquel nous sommes contraints nous semble irréel. Qu'il nous arrive de passer des jours et des jours à déplacer du bois d'une extrémité d'un site à l'autre, et le lendemain, il faut recommencer dans l'autre sens. Qu'il existe des chambres où les prisonniers sont gazés, et des fours dans lesquels ils sont brûlés. Et les sélections… Anne m'écoute, son journal entre les mains. Je la regarde écrire, noter tout ce que je lui raconte.

Je me sens libéré d'un immense poids. Empli de joie.

Je suis une feuille, un oiseau, un ballon – je m'éloigne en volant dans les airs.

Je lui suis tellement reconnaissant.

– Anne! je chuchote en tendant les bras pour la toucher, vérifier qu'elle est bien là.

Elle recule.

Elle lève les yeux, mais ils sont vides alors qu'elle sourit et se met à grimper dans l'arbre.

– Anne! hurlé-je, mais elle ne répond pas.

Son journal est posé sur une branche à côté de moi. Je l'ouvre. Feuillette les pages, en avant, en arrière, perdant tout espoir car j'ai beau chercher… toutes sont blanches…

J'ouvre les yeux. Je suis cerné par un immense chuchotis, les grognements des hommes qui mastiquent leurs rêves.

Mastiquent le vide.

Le jour, nous étions réduits à l'état de bêtes. Mais dans nos rêves, nous ne pouvions nous empêcher d'espérer que quelqu'un, quelque part, nous entendrait.

Vous êtes là ?

Vous écoutez ?

Nous savions que nous avions peu de chances de survivre.

Que notre histoire risquait de nous être dérobée.

Alors, nous luttions pour tenir.

J'ai fauché, j'ai volé.

J'ai menti.

J'ai fait tout ce que je pouvais. Je suis devenu ce que je devais devenir.

Pour être courageux et survivre.
Vous m'entendez ?
Parce qu'il faut que je témoigne.
De tout.
J'ai tout fait.
Tout.
J'ai déserté Otto Frank.
Je l'ai abandonné à Auschwitz.
J'ai trahi celui qui avait essayé de me sauver la vie.
C'était en hiver.

Les Alliés approchaient. Des avions survolaient parfois le camp. Enfin, la structure du camp commençait à craquer. Qui parviendrait à s'échapper par les fissures ?

J'étais terrorisé.

Ils nous ont rassemblés. Ils comptaient nous emmener quelque part. Loin des Alliés, des avions, de la liberté.

– Qu'est-ce qu'on peut faire ?

– Rester, m'a répondu M. Frank. Les Alliés sont presque là. Cache-toi, Peter. C'est notre seule chance.

Mais s'ils me retrouvaient ? S'ils exécutaient tous les malades et les bons à rien avant de filer ? S'ils les gazaient ? Ils l'avaient déjà fait. Et ils étaient prêts à recommencer.

– Rester ! a insisté M. Frank, si maigre qu'il n'avait aucune chance de résister à la moindre marche.

Rester sur place était sa seule chance de survie.

– J'ai peur.

– Je sais. Reste, Peter ! Cache-toi. La Libération est proche.

Il était vieux, il avait les joues creuses et la peau sur les os. Il n'avait pas le choix. Voilà ce que je pensais. Ils tueront tous ceux qui ne peuvent plus travailler, comme ils l'ont toujours fait. S'il reste, il sera fusillé. S'il est fusillé, je le serai avec lui.

Finalement, tout s'est passé très vite. J'ai été convoqué à l'appel avec les autres. Nous n'avons pas eu le temps de nous dire au revoir.

J'ai marché. Un pied devant l'autre. L'air était glacial. Nous avons franchi les portes du camp. Il faisait gris. La terre était dure et gelée. J'avais les yeux rivés sur mes pieds. Droite, gauche, droite, gauche.

Je l'ai abandonné. Je l'ai laissé derrière, c'était le dernier. Je l'ai lâché. Parce que je voulais vivre. Droite, gauche. Droite, gauche.

J'ai fini par lever les yeux. La journée était presque finie. Nous étions moins nombreux. Ils avaient tiré sur ceux qui tombaient, incapables de suivre le rythme. J'ai vu des arbres au sommet d'une colline. Mon cœur a bondi en moi. Des arbres verts. Des sapins. Leur couleur me brûlait les yeux. J'avais oublié. La couleur.

Nous dormions là où nous nous écroulions. Le lendemain, nous abandonnions les morts sur place. Gelés, recroquevillés sous une couverture de glace.

Puis nous reprenions la marche.

Je l'ai abandonné. Je l'ai laissé derrière moi. Chacun de mes pas m'éloignait de lui.

J'ai marché des jours et des jours. J'ai découvert des villages, des gens qui n'étaient pas des kapos ni des *Häftlinge*. J'ai vu une femme avec un fichu bleu vif sur la tête. J'avais les yeux rivés sur elle, ébloui par cette vision. Elle nous a proposé de la nourriture. Le *Häftlinge* qui a accepté a été fusillé.

— Qu'est-ce que je peux faire pour eux ? a-t-elle demandé, sous le choc.

— Rien, a répondu le garde.

Nous étions bouleversés par sa bonté. L'émotion vibrait, brûlait en nous. Mort-née.

J'ai marché.

J'étais dépouillé de tout. Les gens que j'aimais avaient disparu un par un. J'étais seul. Un sac d'os mettant un pied devant l'autre – et bientôt, ce serait la fin.

Bientôt, même la fumée arrêterait de monter des cheminées, les derniers fragments d'os auraient été réduits en poussière et ils auraient gagné. Ils enverraient nos dernières cendres dans le vent et c'est leur histoire qui serait crue. Leur vision de nous.

Des rats. Des cafards. Broyés.

Nous étions quelques-uns à survivre et nous avancions. Un pied devant l'autre. Dès que l'un trébuchait, tombait, rêvait de mourir, il se redressait et poursuivait. Parce que c'est tout ce que nous avions. Il n'y avait plus ni Peter ni numéro.

Il n'y avait plus que la survie.

Eux ou nous.

Leur histoire ou la nôtre.

Laquelle survivrait ?

Vous m'entendez ?

Ou est-ce comme dans mes rêves ?

Vous tournez déjà le dos et vous vous éloignez pour retrouver le soleil de l'autre monde, le vôtre, où je n'existe plus ?

Suis-je vraiment le dernier ?

Le dernier Juif sur terre ?

Un bruit a retenti devant le baraquement. J'ai fermé les yeux. Des pas. Pourvu qu'ils pensent que je suis mort. Les bruits de pas se poursuivaient. Ils examinaient les cadavres à la recherche de signes de vie.

– À mon avis, ils sont tous morts, a lancé une voix.

Quelqu'un se tenait à côté de ma couchette.

— Celui-là, il a encore un peu de vie !

J'étais immobile. Avec un peu de chance, je ne vaudrais même pas une balle. Je voudrais mourir sans avoir à subir cette ultime violence.

— Tu m'entends ? m'a chuchoté la voix à l'oreille. Qui es-tu ?

Il parlait espagnol. Il a répété ses paroles en allemand.

— Qui es-tu ?

J'ai ouvert les yeux. Il n'avait pas l'uniforme des kapos. Il était mince, pas maigre. J'ai répondu, ou j'ai essayé. Ma voix me paraissait étrange.

— Stegi Stersi B-9286.

Ma bouche salivait déjà, enfin j'aurais de la soupe. Les créatures du Lager sont esclaves de réflexes.

— Pas ton numéro. C'est fini. Ton nom, quel est ton nom ?

Les mots se bousculaient dans mon esprit sans faire sens. Était-ce une nouvelle seleckcja ? Une mauvaise blague ?

Je l'avais sur le bout de la langue. Mon nom. Mon nom. C'était quoi déjà ?

Je m'appelle ? Je m'appelle ? Je m'appelle ?

— C'est pas grave, mon garçon. Tu peux te lever ?

Ils m'ont soulevé les jambes.

Je m'accrochais.

J'ai senti mes talons s'enfoncer dans le sol. Mes genoux ont commencé à craquer. Mes os crissaient, broyés les uns contre les autres. Je n'avais plus un gramme de chair pour les protéger.

Peu à peu, je me suis redressé. M'appuyant sur mes jambes comme sur des leviers. Oui, j'étais debout. Debout.

J'ai reconnu ma voix.

— Peter ! murmurait-elle. Peter !

— Peter, m'a dit l'homme. Je m'appelle Stefano.

Je m'appelle Peter.

Mon nom résonnait en moi.

Peter.

Il carillonnait en moi.

J'ai senti sa main sur mon épaule. Ça faisait si longtemps que personne ne m'avait touché que mon corps a reculé, de peur d'être battu.

— Rassieds-toi, m'a recommandé Stefano.

J'ai été surpris. Il avait une voix douce. Me regardait simplement.

— Peter, tu penses que tu peux arriver à sortir d'ici ? m'a demandé son camarade.

Je l'ai observé. Il était moins décharné que moi. Il portait le triangle rouge des prisonniers politiques. J'avais l'impression qu'il pleurait.

— C'est un gamin !

— Non, il n'y a pas d'enfants ici. S'il a tenu jusqu'à aujourd'hui, c'est un homme.

Ils ont noué leurs bras pour former comme une civière sur laquelle ils m'ont transporté à l'extérieur.

— Il faut qu'on parte d'ici le plus vite possible. Il y a encore des salauds de Blockältester qui traînent. Tu crois que tu vas y arriver ?

Dehors.

L'extérieur.

Ces mots me revenaient en mémoire.

J'ai aperçu un marronnier.

Il y avait des rues. Du moins je crois. Des canaux. Du soleil. En automne, les feuilles tombaient comme des pièces d'or, flottant sur l'eau noire des canaux.

— Il existe toujours, le monde, dehors ?

Ils n'ont pas répondu, trop concentrés sur leur tâche.

Nous étions cernés par des tas. Des tas de longues allumettes gisant, tels des corps dans la boue. Plus un seul rang, plus de Häftlinge. Plus de kapos aboyant. J'ai fermé les yeux et tendu le visage pour goûter la chaleur et le silence du soleil.

J'ai examiné les tas d'allumettes autour de moi. C'étaient des hommes.

Des milliers d'hommes.

Morts.

Ou mourants.

J'étais toujours à Mauthausen, le lieu où...

Les gardes avaient un tuyau à la main.

– Debout! Debout en rang par cinq!

Les *Häftlinge* ont accouru se mettre en rang, vifs, obéissants. Vieux, jeunes, malades, estropiés, blessés.

Les gardiens ont ouvert l'eau. Ils sont tombés comme des quilles.

– Debout!

Les hommes rampaient dans la boue, luttaient pour soulever les pieds. Certains, rares, bondissaient, soucieux de plaire – les plus âgés et les plus sages avançaient le plus doucement possible, préservant chaque seconde d'énergie précieuse. Évaluant, jaugeant cet équilibre entre se redresser le plus lentement possible, mais assez vite pour ne pas être fusillé ni battu – l'équilibre entre vie et mort.

Chaque jour, en allant à la carrière, je passais devant ces squelettes nus comme des arbres en hiver. Et chaque soir au retour, leur nombre avait diminué. Les étoiles brillaient dans un ciel noir et glacé contre lequel se découpaient leurs silhouettes éclairées par la lune froide. Le matin les gardiens ouvraient les tuyaux.

– Debout!

Leur nombre diminuait chaque jour.

– Debout!

Encore et encore.

Le dernier homme a mis des jours et des jours à mourir. Il

se relevait. Refusait de rester allongé. À la fin, ils l'asticotaient. Le laissaient se reposer plus longtemps. Lançaient des paris. Il pensait qu'il pouvait gagner la partie...

... mais comme moi, il a simplement mis plus longtemps à mourir.

Les deux prisonniers politiques m'ont déposé par terre. J'ai senti une surface douce sous mon corps.

– Il porte un uniforme de kapo! a dit Stefano en riant. Je te garantis qu'il n'en aura plus besoin.

Le soleil sur mon visage me semblait...

... une boule chaude contre ma poitrine, une ronde de corps s'élevant comme le murmure du vent à travers les feuilles d'un marronnier, une explosion de bonheur, tel le parfum des fraises. Muschi m'est revenu en mémoire.

J'ai senti que je souriais.

Le soleil était bien réel. Ce n'était pas un mirage. Il caressait mon visage.

– Oui, mon garçon, tu es allongé sous le soleil!

– Ils ont fini par arriver, a poursuivi Stefano.

– On est libérés, a renchéri son camarade.

Je l'avais déjà tant entendu, ce mot, « Libération ». Il y avait une pièce. Une radio. Anne. À l'époque, j'avais une mère, et un père. Nous avons attendu ensemble, là-haut, sous les combles, mais personne n'est jamais venu.

Sauf eux.

Ce jour-là, le soleil brillait aussi.

– Finalement, c'est parce qu'on était trop nombreux, a déclaré Stefano en riant.

J'écoutais sa voix, concentré. Elle dégageait quelque chose de curieux. De la vie. Il devait être un des derniers numéros pour avoir autant de force. Avait-il commis des actes épouvantables, lui aussi?

– Dors, mon garçon, m'a-t-il rassuré. C'est fini, les Russes nous ont distribué des fusils.

– Vous savez ? ai-je balbutié. Vous savez ce qu'ils ont fait ?

– Oui, on sait, et bientôt le monde entier le saura.

J'ai soupiré. Fermé les yeux. Il parlait de ce cauchemar comme s'il appartenait au passé, non pas comme d'une réalité présente, enfouie en nous.

Je pensais à Otto Frank. Au mal que j'avais fait, au pire, l'avoir abandonné derrière moi. Je le revoyais, là…

Nous sommes debout côte à côte. C'est le jour où ils ont emporté mon père. Je suis sans voix.

– Que reste-t-il de lui ? me demande M. Frank. Les vêtements qu'ils ont rapportés n'étaient pas les siens, le numéro sur son poignet non plus.

– Il ne reste rien.

– Si, toi ! Tu es tout ce qu'il lui reste. Tu te souviendras. Tu survivras. Tu raconteras son histoire.

– Mais sommes-nous des hommes ?

J'avais honte. J'avais lâché mon père.

J'ai aussi lâché M. Frank… Je l'ai abandonné…
Alors, suis-je encore un homme ?

– Oui, nous sommes des hommes, répond M. Frank d'une voix tranchante, irritée. N'oublie jamais ça, Peter, ce sont eux qui ne sont pas des hommes – les gens qui sont incapables d'éprouver de la honte. Ce n'est pas ton sentiment de culpabilité ni de honte qui importe. C'est le leur. Voilà pourquoi tu dois témoigner.

– Vous êtes là ? ai-je murmuré à Stefano. Vous m'entendez ?

– Oui, je suis là, je t'écoute.

– Ils nous ont transportés ici, à Mauthausen, de partout. Des survivants. D'Auschwitz et de Budapest, de Plaszow et de Buchenwald. Tous les Juifs. Ils nous traitaient de vermine. Ils n'arrêtaient pas de tirer sur nous. Mais on continuait à arriver. C'est eux qui étaient notre cauchemar, pas le contraire. Ils nous ont gazés, battus, pendus, mitraillés. Ils ont essayé de nous forcer à marcher jusqu'à ce qu'on en crève. Mais en vain, on était de plus en plus nombreux à arriver.

L'homme me tenait la main.
– Tu trembles, m'a-t-il dit. Accroche-toi à moi.

– Ils nous ont arrosés jusqu'à ce qu'on gèle sur place. Ils nous ont renversés comme des dominos du haut de la carrière. Ils nous balançaient contre les fils barbelés et nous obligeaient à danser jusqu'à ce qu'on s'écroule. Et quand on mourait sur le fil, le corps électrisé, s'agitant frénétiquement, ils ricanaient et lançaient : « Tiens, il danse encore mieux quand il est à deux doigts de crever ! »

– J'espère que vous me croyez ?
– Oui, aujourd'hui je te crois.

– Certains se prenaient la main et sautaient, sûrs de mourir. Ils les appelaient les parachutistes. Ils nous affamaient systématiquement. Nous faisaient trimer. Nous rouaient de coups. Mais on continuait à arriver. Par vagues entières. Ils nous ont transmis le typhus. Le choléra. La fièvre. Ils nous ont obligés à transporter les morts pour les entasser. Ils nous ont jetés dans des cheminées et des fours vides. Ils ont dispersé nos cendres sur les routes avant de les piétiner. Ils nous ont forcés à porter les vêtements de nos morts pour nous rappeler qu'on était les prochains. Ils nous réveillaient avant le lever du jour. Ils nous volaient nos rêves. En vain, on continuait à débarquer.

— Je sais. C'était un cauchemar, ai-je entendu murmurer la voix. Mais c'est fini.

J'ai vécu dans la peur, redoutant non plus la mort, mais une solitude pire – la survie. Peur d'avoir à témoigner alors qu'il n'y aurait plus un *Häftling* sur terre. Plus un seul pour confirmer mon récit et déclarer : « C'est vrai, ils nous appelaient *Häftlinge* et *Untermenschen*. »

Moi, seul, lisant l'incrédulité dans le regard des autres.

— Tu n'es pas seul ! D'autres ont survécu, eux aussi.

— D'autres Juifs ?

— Oui !

Je ne suis donc pas seul.

Je ne suis pas seul.

Je suis simplement en train de mourir.

Je ferme les yeux.

— Peter ! Tiens bon, Peter !

Je souris.

Je m'appelle Peter van Pels.

Peter.

Et je viens de raconter l'histoire qui fut la mienne.

— Ils ont mis la main sur des kapos ! Regarde ! Ils sont en train de les exécuter, Peter. Ils les bourrent de coups avec leurs godillots jusqu'à ce qu'ils en crèvent !

Je refuse d'ouvrir les yeux.

Je refuse de voir leur haine.

Ailleurs, loin d'ici, il existe un monde où les oiseaux chantent.

Dans ce monde, je rêvais de liberté, de libération.

Et elle est advenue.

– *Ils sont morts, ces salopards, ces lâches ! On est libres, nom de Dieu !*

 – *Tu arrives encore à ouvrir les yeux ?*

 – *Oui, je pense qu'il va y arriver.*

 – *Pas tout de suite, mon garçon, pas tout de suite !*

 – *Tu m'entends, Peter ?*

 – *Écoute-moi. Ton peuple est en train de se relever !*

J'esquisse un sourire.

Enfin, il est arrivé. Le moment dont je rêvais. Pour lequel j'ai lutté. Pour lequel j'en ai regardé d'autres mourir.

 – *Tu es libre, mon garçon. Libre !*

Libre ?

Serai-je jamais libre des images gravées en moi ? De ces files de gens alignés ? De cet homme coulant un nœud autour de son cou avant de sauter ? De Dieu à l'agonie ? De ces corps gisant en tas comme des allumettes ? Et de cette vérité : quand il ne reste plus rien demeure encore la volonté de vivre ? Qui nous fait avancer, mettre un pied devant l'autre. Moi. Devant vous. Sinon, je mourrai.

Fini. Je ne veux plus.

Vous comprenez ?

Vous m'écoutez ?

Vous avez déjà vu ces morts gisant et se desséchant, telles des racines arrachées à la terre ? Anonymes, comme des dents ?

Je les entends murmurer à mon oreille – les morts –, je les vois.

– Mon garçon ! Ouvre la bouche ! J'ai de l'eau.
Douceur des gouttes sur mes lèvres. Tel un baiser.
– On est sauvés !

Mais ce ne sont pas ceux qui ont été sauvés que je vois. Ce sont ceux qui ont été noyés. Les morts. Les millions de corps sans nom qui déjà me hantent. Pardon. Pardon de vous avoir poussés, d'avoir joué des coudes, d'avoir choisi la pierre la plus légère pour que vous ayez à soulever la plus lourde. Où trouver les mots pour ceux qui sont morts sans nom – disparus avant moi, et qui m'appellent ?

Je suis prêt.

J'arrive.

Je suis en haut des escaliers, les bras tendus vers maman. Son nom est sur mes lèvres.

– Maman ?

– Il est en train de partir. Quand ils appellent leur mère c'est qu'ils en ont fini.

J'esquisse un sourire.

– Il sourit !
– Il va rejoindre un monde meilleur, tu ne crois pas ?
– Comme nous, mon vieux, une fois qu'on aura foutu le camp !

Elle soulève mes bras pour moi...

– Tu es près de moi, si près, chuchote Anne. Toutes les histoires ont une fin.

Différentes images m'emplissent.

Merwedeplein sous la neige... frondaisons scintillant dans le ciel le soir en été... envolée d'oies... petit carré de ciel criblé d'étoiles...

Et Anne, dont les mots tombent des lèvres comme des feuilles d'arbre.

– Peter ? Ils ne pourront jamais chasser nos paroles en soufflant dessus.

Les pages de son journal sont éparpillées sur le sol de l'Annexe.

Je me sens léger comme une feuille.

Et prêt.

– Nous mourrons tous, j'entends papa me dire. Ça n'est qu'une question de temps.

S'il existe un paradis, il est peuplé par nous. J'inspire une dernière fois, je souffle sur les pages de son journal et les regarde s'envoler par la fenêtre du grenier, au-delà du marronnier, au-delà des oiseaux et du carillon de l'église. Au-delà d'Anne, de moi, de papa et de maman, d'Otto, de Margot et d'Edith. De plus en plus haut dans le ciel, là où les mains de nos ennemis ne pourront jamais les attraper.

Ses paroles sont écrites.

Mon histoire est dite.

Je meurs.

Mais d'autres survivront.

Au-dessus de nous, la parole de millions d'hommes plane

dans l'air déchiré par la guerre comme les derniers résidus d'un feu éteint. Flottant, telle la cendre. Bientôt, elles se déposeront. Certaines paroles retrouveront les vivants et ne seront plus jamais prononcées, mais d'autres jailliront en flammes et recouvriront la terre.

– *Tu crois aux mots, maintenant ? me chuchote Anne.*

Oui, je crois.
Je suis si proche que j'entends leurs voix.
– Peter !
Je brandis les bras avec joie. Lève les yeux et les reconnais : Maman, pieds nus, ravagée, les bras levés. Papa est à côté d'elle, ses lunettes sont tordues et brisées mais sa bouche est souriante. Il tient dans la main un morceau de soie rose usé. Anne et Margot sont agrippées l'une à l'autre tandis que leur mère les serre contre sa poitrine. Liese se tient derrière, le crâne encore rasé, et m'attend.
Je cherche M. Frank du regard mais il n'est pas là. Il est resté parmi les vivants.
– Saute, Peter ! m'encouragent-elles.
Et je bondis droit dans leurs bras tendus vers moi.

Je suis mort, mais si vous écoutez bien vous m'entendez toujours.

Wstawać.
Debout.

Vous êtes là ?
Vous m'écoutez ?

Épilogue

Après deux ans et un mois de clandestinité, Peter van Pels fut déporté dans un camp de transit appelé Westerbork. Il survécut ensuite à un voyage de trois jours dans le dernier train qui quitta les Pays-Bas pour Auschwitz.

L'expérience de Peter dans les camps telle qu'elle est racontée ici n'est pas fondée sur une source précise ; en un sens, elle n'est donc pas « réelle ». Elle a été imaginée à partir de témoignages et de récits d'autres déportés. Tout ce que nous savons, c'est que Peter a travaillé quelque temps au service postal, ce qui lui a sans doute valu des rations supplémentaires qu'il a dû partager avec Otto Frank.

À mes yeux, Peter incarne le « prisonnier inconnu ». À travers lui, j'ai pu expliquer le fonctionnement des camps, la volonté froide et systématique de dépouiller ces hommes de leur identité, de les livrer à un monde où la nécessité de survivre la plus élémentaire obligeait à voler et à ruser, alors que le régime nazi avait décidé de les éliminer totalement.

Peter van Pels était un jeune homme timide, doux, qui d'une manière ou d'une autre survécut à sept mois à Auschwitz après avoir supporté la mort de son père. Affaibli, affamé, il a subi une ultime marche de la mort à travers la Pologne et l'Autriche, qui l'a mené à Mauthausen, un camp tristement célèbre pour sa cruauté envers les prisonniers juifs.

Plusieurs historiens pensent qu'il est mort pendant cette longue marche. D'autres sources attestent sa mort à Mauthausen, entre le 11 avril 1945, date à laquelle il a été admis à l'infirmerie du camp, et la libération de Mauthausen un mois plus tard. Le fait qu'il ait résisté aussi longtemps est exceptionnel.

Il avait dix-huit ans.

Auguste van Pels était avec les femmes de la famille Frank à Auschwitz. Elle fut déportée à Bergen-Belsen avec Anne et Margot, et elle les soutint jusqu'à ce qu'elle soit de nouveau déplacée dans un camp de travail du nom de Raguhn, près de Buchenwald. Le camp de Raguhn fut fermé le 8 avril 1945. Auguste fut soumise à une marche de la mort en direction de Theresienstadt. Elle mourut en route, ou peu après son arrivée. Auguste et Peter sont peut-être morts à quelques jours d'intervalle.

Elle avait quarante-quatre ans.

Hermann van Pels est mort à Auschwitz au cours des sélections d'octobre 1944. Il fut gazé. Sa femme et son fils lui ont survécu six mois.

Il avait quarante-six ans.

Edith, Margot et Anne Frank étaient avec Auguste van Pels à Auschwitz-Birkenau jusqu'au 26 novembre 1944, date à laquelle les deux filles furent séparées de leur mère et déportées à Bergen-Belsen.

Edith Frank a protégé ses deux filles avec amour et détermination à Auschwitz, allant jusqu'à creuser un trou pour faire passer de la nourriture à Anne quand elle était à l'infirmerie.

Elle est morte le 6 janvier 1945, sans doute d'épuisement, de faim et de chagrin.

Elle avait quarante-quatre ans.

Les conditions de vie à Bergen-Belsen étaient inimaginables. Le camp était complètement désorganisé. Il n'y avait plus ni nourriture, ni eau potable, ni la moindre hygiène. Partout sévissaient maladies et infections. Les deux sœurs ne se quittaient pas, tâchant de s'assister mutuellement. Elles dormaient dans la même couchette, près de la porte, « la place la pire, à cause du froid ». Il existe un récit racontant leurs derniers jours, écrit par Janny et Lien Brilleslijper, qui étaient dans le même baraquement. Margot est morte du typhus. Son corps a sans doute été jeté sur un des tas de cadavres devant la porte.

Elle avait dix-neuf ans.

Anne est morte, seule, à Bergen-Belsen plusieurs jours après sa sœur. Il est difficile d'imaginer le chagrin qu'elle a dû éprouver en perdant sa sœur, dernier membre de sa famille survivant. D'après Hanneli Goslar, elle est morte de désespoir autant que du typhus. « Il ne reste plus personne », dit-elle de l'autre côté d'une clôture de Bergen-Belsen. Elle s'est éteinte quelques jours avant la libération du camp.

Elle avait quinze ans.

Otto Frank survécut sept mois à Auschwitz, puis dix jours après la désertion du camp par les nazis qui abandonnèrent les survivants dans des conditions ahurissantes. Il finit par revenir aux Pays-Bas où, après la confirmation de la disparition de ses filles, Miep Gies lui remit le journal d'Anne.

Il décida de l'éditer et de le publier. Le reste appartient à l'histoire. Anne atteignit alors la « reconnaissance internationale »

dont elle rêvait. Elle avait écrit, sans le savoir, un journal qui allait
« changer le monde ».

Aujourd'hui, son journal est protégé par la Maison et la
Fondation Anne Frank, qui soutiennent toutes formes de projet de recherche sur le racisme et le génocide, y compris la
montée de l'islamophobie en Hollande. Le but est d'encourager les générations à venir à comprendre la nature et le sens de
la Shoah.

Otto Frank est mort en août 1980. Il avait quatre-vingt-un
ans.

Fritz Pfeffer a survécu aux sélections d'octobre à Auschwitz, puis fut transporté au camp de Neungamme, où il mourut, seul, d'entérocolite, le 20 décembre 1944.

Il avait cinquante-cinq ans. Sa fiancée, Charlotte, l'a épousé
à titre posthume en 1953.

Liese, la « petite amie » de Peter, est un personnage de fiction. Elle incarne tous les citoyens juifs disparus pendant les
années de clandestinité de Peter.

Note de l'auteur

Écrire un récit de fiction historique fut un immense défi. La vie dans l'Annexe a été brillamment racontée par Anne, qui fut mon principal guide pour la première partie de mon histoire. Il m'est arrivé de changer la date d'un événement pour des raisons de cohérence narrative. J'espère que les lecteurs zélés de journaux me pardonneront. J'ai essayé de rester fidèle à l'esprit du journal et aux événements qui ont eu lieu dans l'Annexe.

Rapporter ce qui arriva aux occupants de l'Annexe une fois dans les camps fut plus difficile. Je me suis appuyée sur les témoignages et les preuves que nous ont laissés les survivants d'Auschwitz et de Mauthausen. J'ai lu de nombreux livres, mais j'ai été particulièrement touchée par le récit de Primo Levi qui témoigne de façon lucide et froide de la réalité de la vie quotidienne à Auschwitz.

Je remercie Buddy Elias et Carol Ann Lee d'avoir bien voulu relire mon manuscrit et me faire quelques suggestions essentielles.

Remerciements

Je dois remercier ici :

Charlie Sheppard, éditeur hors pair, qui a soutenu ce projet alors qu'il était abandonné, l'a dépoussiéré et a eu suffisamment foi en lui pour lui insuffler une nouvelle vie.

Klaus Flugge, qui l'a publié.

Sarah Pakenham, qui l'a vendu dans le monde entier.

Barbara Bradshaw – le rire d'Anne est ton rire, et il a souvent résonné à mes oreilles alors que j'écrivais cette histoire si triste.

Gertjaen Broek de la Maison Anne Frank pour les renseignements sur le numéro de Peter.

Danny Lee, pour m'avoir offert une perspective différente.

Paula Barry et Suzy Paul, Rosemary Turan, pour leur soutien et leur amitié.

Kate Dando, Steve, Charlie et Felix Bishop et les « belles au bain » – rendez-vous dans les vagues l'année prochaine... vous savez où...

Barry Cunningham, qui m'a interdit de tout remiser au fond d'un tiroir.

Joy Court, pour ses conseils.

La famille Fiddes, surtout George, pour ses illustrations.

Andy Kelly, qui a trouvé et m'a envoyé l'édition critique du *Journal* publiée par Doubleday.

Bruce et Tess, qui ont recopié à la main ces cinq nouvelles pages il y a tant d'années !

Xa White, pour ton travail et ta réflexion sur ce livre, pour l'organisation du voyage à Amsterdam, et ta merveilleuse compagnie de bout en bout.

Ella White, pour m'avoir parlé du *Journal* d'Anne Frank avec tant de passion, me rappelant ainsi une idée que j'ai eue des années plus tôt...

Jem White, pour avoir été chez toi cette année-là, si gaie, et reine du Gin & Tonic !

Alastair, pour m'avoir survécu...

L'auteur

Sharon Dogar est née en 1962. Elle vit à Oxford avec son mari et leurs trois enfants et exerce comme psychothérapeute pour adolescents. *Cachés* est son troisième roman, après *Si tu m'entends* (Albin Michel, 2008) et *Falling* (2009). Enfant, elle a découvert le *Journal* d'Anne Frank et s'est toujours demandé ce qui était arrivé ensuite aux habitants de l'Annexe. Voir sa propre fille lire le *Journal* l'a incitée à écrire *Cachés*.

Le papier de cet ouvrage est composé de fibres naturelles,
renouvelables, recyclables et fabriquées à partir de bois
provenant de forêts plantées et cultivées expressément
pour la fabrication de la pâte à papier.

Ce volume a été composé
par IGS-CP à L'Isle-d'Espagnac (Charente)

Loi n° 49-956 du 16 juillet 1949
sur les publications destinées à la jeunesse
ISBN : 978-2-07-069574-4
Numéro d'édition : 177564
Dépôt légal : octobre 2011
Achever d'imprimer sur Roto-Page
par l'imprimerie Grafica Veneta S.p.A.
Imprimé en Italie